SV

Peter Handke
Langsam im Schatten

Gesammelte Verzettelungen
1980–1992

Suhrkamp Verlag

Erste Auflage 1992
© Suhrkamp Verlag Frankfurt am Main 1992
Alle Rechte vorbehalten
Druck: Pustet, Regensburg
Printed in Germany

Inhalt

Langsam im Schatten

Eine Erzählung
aus vierzehn und einem Guß

Auf halber Höhe über St. Moritz im Engadin, auf der Terrasse des aufgelassenen Eislaufplatzes bei dem weitläufigen Gelände des ehemaligen Berghotels »Chantarella«, standen in diesem Winter, bei Tag und bei Nacht, in Sonne, Nebel und Schneefall, mehr als ein Dutzend Riesenfiguren, wie in den großen Kreis da hingewürfelt, und erzählten in der Stille, jede nach ihrer Art und Form, eine von Augenblick zu Augenblick und so fort und so weiter sich ereignende Geschichte (eine der Überlebensgrößen tat das gleichsam hingestürzt, mit jedem Blick wieder wie gerade zur Erde gekracht, und noch eine andre stand im Erzählen nicht aufrecht, sondern in einer Schräge, und eine dritte erzählte fast aus dem Lot geraten). Wovon das Erzählen der dunkelbronzenen, auf Betonsockeln ruhenden, von Betonblöcken rückengedeckten Gestalten handelte, war in keine Wörter-Sprache zu übersetzen, und der Betrachter, als der Gast solcher Gigantenerzählung, empfand das, je länger er in den Zwischenräumen, auf dem Schneefeld umherging, innehielt, aufnahm, mit der Zeit desto kräftiger als ein Glück – als eine Art von Befreiung. Er war hier einmal nicht gezwungen, sich kleinklein etwas erzählen zu lassen, er machte sich, an der Hand, mit der Hilfe der so mächtigstillen wie ihn in Ruhe lassenden »Morphen« seine Erzählung selber – eine, die, statt Sätze und Bilder, nichts war als Materie und Schwung, und die, statt in meiner oder deiner

9

persönlichen Vergangenheit (und das war das »Uner-hörte« an dieser Begebenheit mit den Figuren auf der Bergschanze), in einer unpersönlichen Vorzeit und zu-gleich jetzt spielte, in den Augenblicken, von hier nach dort, da eins jener Wesen im Umkreis sozusagen das andere gab.

Fast als eine Störung dieses wort- und namenlosen, weithin über das Hochtal schwingenden Erzähltakts erlebte es der Teilnehmer, daß dessen Verkörperungen im einzelnen Titel hatten wie »Lady Macbeth« oder »Cromwell«, oder Untertitel wie »Si tacuisses ...« (hät-test du geschwiegen ...), oder daß an die in Bronze gegossene Palme, welche gleichsam den Auftakt der großen Erzählung machte, wie ein Lotsenschild eine Schrift angebracht war »I went to Tangiers and had dinner with Paul Bowles« – *fast* eine Störung, nicht tatsächlich, denn solche nebensächlichen Anekdoten trugen doch bei zur Leichtigkeit des ganzen Spiels?

Es gab keinen Vergleich für diese Vorzeit-Giganten-Erzählung, es sei denn, den einen: In den Bergbächen ragen hier und dort regelmäßig Steinblöcke aus dem Sturzwasser heraus, welches an diesen Stellen, statt als Gischt dahinzubrausen, glatt und durchsichtig darüber hinwegschießt und sich aus dem elementaren Rauschen, Klirren und Tosen auch, wenn man genauer hinhört, als etwas Stimmhaftes heraushebt. Menschenstimmen las-sen sich an solch musikalischen Steinen aus dem Fließen heraushören, nicht nur ein Gurgeln und gutturales Zun-genschlagen und -schnalzen, sondern ein Murmeln, sich immer wieder aufschwingend zum Singsang, zum Vi-brato, einem vielstimmigen Psalmodieren. So ist es mit der Zeit, als seien Felsmasse und Wasser ständig dabei,

Skulpturen von Julian Schnabel
Photo: Bernd Isemann

eine vergessene und verschwiegene Erzählung zu into-
nieren, stammelnd, begeistert, jeden Moment nah am
Verständlichwerden – und dann aber gerade im Unver-
ständlichbleiben, in der Unübersetzbarkeit die Erzählung bedeutend. Und ebenso war es auch mit dem
Erzählen der vielgestaltigen Bronzeriesen auf dem
Oval der Chantarella-Terrasse – nur daß das Element
des Wassers ersetzt war durch das der Luft, und schon
das bloße Schauen der Riesenformen, in ihrem Verhältnis zueinander, jenes gleichmäßig-ruhige Stammeln der
Erzählung halluzinierte. (Dazu trug vielleicht bei, daß
die Formen, so wie die Blöcke im Wasser, nicht skulp-
turiert wirkten, auch das mit Bedacht Skulpturierte
daran hatte den Anschein von Natur, oder Fund, mit
Hilfe der Natur.) Und so wie die Stimmen an den
Märchensteinen im Sturzbach suggerierte solch Erzählen, ohne besondere Begebenheit, doch so etwas wie
ein Sich-Begeben: des stetigen Anfangs, des stetigen
ersten Auftritts, und so ging es von Augenblick zu
Augenblick weiter, und so blieb es. Erzählen? Ein
rhythmisches Beseelen des Gastes der Figuren, kraft
deren Vielfalt wie Eintönigkeit, und auch mit der
Hilfe, vor allem, der Zwischenräume, Passagen,
Durchlässe, wodurch er (der Gast) auf dem Platz hoch
über der Talschaft ungezwungen »schön gehen«,
»schön dableiben«, konnte: Die Figuren ließen ihn auf
eine Weise zwischen sich gehen, in Gerade, im Zickzack, in Spiralen, daß die Idee des Labyrinths etwas
Schönes wurde. Bald werden diese sanften Machthaber
ihre Schanze auf der Chantarella verlassen und wohl
einzeln, jeder für sich in verschiedene Weltrichtungen
und -märkte verschwinden: kein Erzählen-*Anfangen*

in Gemeinsamkeit wird dann mehr von ihnen zu erahnen sein wie jetzt noch, im Winter 1990/91, in ihrer Enklave, geld- und geschichtsfern, des Schnees. Aber im Augenblick ändern sich noch mit der Luft die Farben der Güsse, spielen miteinander bei dunklem Himmel über vom Gelbbraun ins Blau; schrumpfen die Formen unter der Sonne, bekommen gemeinsam Schultern im Nebel; bestimmt, was sie allesamt sagen, mit auch die Leere zwischen den fünfzehn (oder vierzehn) Gestalten bei gleichwelchem Licht – dem des Föhns und des Mondes; knistern und knacken und tönen sie von den Flocken, der Mittagswärme, dem Schnaufen der zu ihnen hinaufgestiegenen Besucher. Ein junger Mann, nach dem Umhergehen zwischen ihnen, eine schöne Zeitlang, wandte sich dann um und um, zu den Nachbarhängen, hinauf zum Piz Nair, hinab zum gefrorenen See, und rief immer wieder nach dem Taktgeber (oder Aufspürer?) dieser Erzählung, aus Leibeskräften, ins Leere hinein, gegen die verfallenden Fassaden der Berghäuser: »Julian Schnabel! Julian, wo bist du? Schnabel! Julian!« Und wie lautete dazu des so Gerufenen höchstpersönliches Motto? »Follow the enthusiasm!« Wind kam auf, und aus einer einzelnstehenden, braunglänzenden Bergkiefer, die doch ganz frei vom Schnee schien, staubte plötzlich eine weiße Schwade heraus und schwebte lange noch weiter, glitzernd.

Über Lieblingswörter

Jetzt habe ich Camus' zehn liebste Wörter verloren, recht so. Denn erst einmal haben die sicher in deutsch einen grundandern Schein als in seinem Französisch. Und dann ist es eher ein Recht der Jugend, für einzelne Wörter zu schwärmen. Später wird so ein Schwarm gefährlich; je öfter der erwachsene Autor Wörter wie Lieblinge herbeiruft, desto mehr ziehen sie sich mit der Zeit zurück; in der Folge, versteift der Schreiber sich auf sie, stechen sie gar und sterben, oder, anders gesagt, werden gegenstandslos; und kann sein, der Liebhaber stirbt mit ihnen. Ist es Camus selber nicht so ähnlich ergangen? So vernarrt war er in »soleil«, »enfant«, »mer«, daß Sonne, Kind und Meer zuletzt aus seinem Schreiben entschwanden; es blieb nichts mehr zu erzählen als der nachtdunkle monologische »Fall«, *la chute*, und danach, wie jung war er da noch, nicht einmal mehr die Nacht. Ich sage das aus Mit-Erfahrung. »Heraus aus der Sprache – bleib bei den Dingen, und ihrem Schein!« Eine der Anstrengungen des Schriftstellers ist es vielleicht, nicht dem Magnetismus der Wörter zu verfallen; dieses »Nicht« ist wohl überhaupt das Autor-Zeichen. Die Wörter, anders als für die Sprecher, stehen ihm nicht zur Verfügung; er gebraucht sie jeweils nicht – er entdeckt sie, besser es, das, ein (1) Wort, und nur für jetzt, an dieser einen Stelle im Text, nie zum Weiterleiern. Auch sind die Wörter der deutschen Sprache für unsereinen vielleicht noch gefährlicher als andere; vergiftet – gerade die wesentlichen, ohne die das Poetische nicht auskommt – durch die Geschichte, schlagen sie zurück; wer sich auf sie einläßt, wird möglicherweise von ihnen getötet; aber das Schreiben dessen, der sich nicht auf sie einläßt, gilt nicht? Ich muß mich auf sie einlassen? – Bei allem nenne ich nun doch ein Wort, das ich noch ein paarmal in den Verlauf des Erzählens, wenn sich nur der Moment ergibt, einfließen lassen möchte; ich habe es erst einmal benutzt, nichts als das entsprechende Ding vor Augen, ohne mir einer Ausgefallenheit des Wortes bewußt zu sein, und es ist mir ans Herz gewachsen dadurch, daß ein geschätzter Kritiker es dann lachhaft fand, in seinen Augen fast so verstiegen wie »Kelchschaft«: es ist das Wort »Talschaft«, altes, übliches Wort für eine Gegend aus einer Mehrzahl von Tälern (ich habe es gebraucht für die Talschaft Wochein in Slowenien). Also, Leser, Achtung! – Freilich aber kann ich dies und jenes mir liebe Wort in einer fremden Sprache aufzählen, ich verwende sie, nicht als Schreiber, sondern als Alltagsmensch, noch und noch; zum Beispiel: *ataraxia*, altgriech., Unerschütterlichkeit; *phalatrsnawairagya*, wohl indisch?, gefunden beim Lesen vom Mircea Eliade und auswendiggelernt – es bedeutet etwa das gleiche wie das griechische; *ecuanimidad*, spanisch; und dann natürlich einige slowenische Wörter wie *domotožje*, Heimweh, oder *hrepenenje*, Sehnsucht. Solche Litaneien helfen dem Unterzeichneten manchmal halbwegs durch seinen Tag, in seinen Tag.

Langsam im Schatten:
der Dichter Philippe Jaccottet

Die Wahl des Petrarca-Preisträgers für das Jahr 1988 hatte, neben den üblichen Varianten, eine Besonderheit: Keiner von uns vieren, die wir die sogenannte Jury bilden, weder Peter Hamm noch Alfred Kolleritsch, weder Michael Krüger noch ich, kannte den Dichter Philippe Jaccottet, auf den, nach der gemeinsamen Lektüre, bald die Wahl gefallen war, in Person. Ich zum Beispiel wußte nur aus einer kleinen Bemerkung eines französischen Freunds, Jaccottet lebe, nebenher im Brotberuf eines Übersetzers – warum hat übrigens dieses Wort »Brotberuf« solch einen unschönen Beiklang? –, in dem Dorf eines südöstlichen Departements, zurückgezogen, hell entschlossen (wieder solch ein Ausdruck, diesmal aber mit einem guten Beiklang, und passend im übrigen für das Werk Philippe Jaccottets), also »hell entschlossen«, sich von keiner, gleich welcher, Veranstaltung der Literaturwelt von seinem Ort, seinem Garten, seinem Haus und seinem Fenster abbringen zu lassen. Nun bin ich gleich nach der Wahl Jaccottets, bevor dieser noch gefragt werden konnte, ob er den Petrarca-Preis annehme, vom Vorsitzenden unserer Viererbande, als die ich uns gerne sähe, freilich nur, was diesen ohnehin befristeten Preis betrifft, zum Laudator bestimmt worden. Im ersten Schrecken war ich einverstanden, aber mir war bald mulmig zumute, aus dem angeführten Grund, und auch, weil vor Jahren, als ich, ausgeschickt nach L'Isle-sur-la-Sorgue in der gleichen

Angelegenheit zu René Char, endlich, ohnedies mutlos und wohl in mir gar nicht entsprechendem Gesandten-Tonfall, unser Ansinnen vorbrachte, der argwöhnisch-gütige Dichter mir gleich ins Wort fiel und nur kurz meinte, wie schade es sei, daß ich ihm inmitten eines so freundschaftlichen Gesprächs von nichts als Dingen, Bildern und Wörtern auf einmal mit diesem Preiszeug käme. Noch heute trage ich an jener jähen Grämlichkeit und Enttäuschtheit im Gesicht René Chars, nach der ich mich, wenn auch nur für Momente, als unerwünschter Besuch fühlen mußte. So war es diesmal eine Erleichterung, als wir über einen Vermittler erfuhren, daß Philippe Jaccottet zumindest nichts *gegen* unseren Preis hatte; allerdings sogleich wieder die Bedenken, kam sein Einverständnis nicht eher aus einer Art *Amor fati* oder aus der Höflichkeit des Weisen als aus der besonderen Person? Hier wurde nun zum ersten Mal die Frage nach dem uns unbekannten Menschen Philippe Jaccottet gestellt, und zwar an einen Mann, der an dem Tag der Wahl später noch dazukam und, wie sich herausstellte, mit dem Dichter manchmal Umgang hatte. Wir hätten vielleicht nicht fragen sollen; denn die Antwort, im übrigen bestimmt von scheuer Begeisterung für den, um den es ging, widersprach oder, genauer gesagt, verengte das Bild, das, jedenfalls in mir, bei der Lektüre der Poeme und Prosastücke Jaccottets ohne meinen Willen entstanden war. Das vordringlichste der Charakteristika, welche der Gefragte gebrauchte, war nämlich: »Ein Zen-Mönch.« Unsere schematischen Zen-Mönch-Vorstellungen und die wohl nicht viel wahrhaftigeren Impressionen einmal beiseite: Es ist mir noch nie recht gelungen, einen *Künstler* sozusagen hauptpersönlich als einen buddhistischen Mönch zu sehen (als einen christlichen freilich noch weniger, weder Hieronymus Bosch noch Hugo van der Goes – nicht einmal den Fra Angelico).

Zwar gehörte jener japanische Cineast, dem es vielleicht als dem einzigen gelungen ist, Stille im Film nicht als Ankündigung einer Bedrohung oder als Nachhall einer Katastrophe, sondern als die größere oder große Gegenwart erscheinen zu lassen, Yasuhiru Ozu, extern einer Klosterbruderschaft an, aber all seine Familienszenen (die auch darum so universell und gegenwärtig wirken, weil sie frei oder leer von jeglicher Szene sind) werden in der Regel geerdet durch das immerwiederkehrende Trinken des Saké, und ebenso ist es bei dem japanischen Erzählmeister Yasushi Inoue, auch er angeblich Angehöriger von etwas wie einem dritten Zen-Orden und gewiß einer der ganz seltenen, dem der Leser die Erleuchtungen nachleben und nachdenken kann, indem sie bildhaft an den Sinnendingen, dem Mond, den Azaleen, dem bei dem eigenen Feuerwerk sich keinmal zum Himmel hebenden Kopf eines Feuerwerkers, erfahren und mit keiner anderen Absicht, als davon gewissenhaft zu berichten, niedergeschrieben sind: Bei allem Filigranen, allem Abstandhalten und -wahren, sind bis heute kaum so welt- und körperverstrickte Mann-Frau-Geschichten erzählt worden wie etwa im *Stierkampf*, in der *Eiswand*, oder in den *Höhlen von Dun-Huang* dieses Zenbuddhisten Iasushi Inoue, der als Hauptperson eben doch Schriftsteller ist ...
Doch nun habe ich, im Versuch einer Annäherung an die Person Philippe Jaccottet, gerade auf meinem Um-

weg über die beiden japanischen Künstler, ein wenig von der Leichtigkeit des Anfangs verloren. Vielleicht eine kleine Glosse als Brücke dahin zurück und auch zurück zu uns nach Europa: Vor Jahren las ich ein paar Kriminalromane eines niederländischen Schriftstellers. Und in dessen Biographie war angegeben, er habe als junger Mann eine Zeitlang als eine Art Novize in einem japanischen Kloster gelebt (schon wieder bin ich da!); seine Weltsicht und seine Schreibweise seien von jenen fernöstlichen Erfahrungen beeinflußt. Der Leser schlug die Bücher, auch das zweite und dritte, mit Neugier auf und war am Ende ein jedes Mal enttäuscht, beim letzten dann gar ergrimmt. Das zuletzt Empörende an all den Geschichten war weniger, daß sie keine wie auch immer beschaffene »Weltsicht« offenbarten, sondern eher, daß sie eine Sicht oder auch nur den Blick auf gleichwelche Welt verstellten, verstümmelten, ablenkten und vernichteten, weil die Dialogsätze pausenlos Witze, die erzählenden ein Springen von Bild zu Bild, und die reflektierenden jeweils lückenlos Glied einer Begründung zu sein hatten. Die Folge: im Witzzwang Verlust der menschlichen Körperlichkeit; im Bildzwang Wegblenden der Einzel-Dinge und Verlust jeder Räumlichkeit; im Beweiszwang und Psychologisieren der übliche Kleinkrieg gegen das stille offene Denken der Phantasie. Vielleicht bin ich mit solch einem Satz auch schon nah an diesen Zwängen und helfe mir jetzt heraus mit einem Satz von Philippe Jaccottet: »Vielleicht ist Stille nur ein anderer Name für Raum.«

Ja, und nun kann ich endlich ganz zu dem kommen, um den es hier geht, obwohl das Wesentliche an ihm schon bei der Betrachtung der beiden japanischen Meister mitspielte, und auf andere Weise, als das Gegenbild, in der Kritik an der Vorgehensweise des holländischen Schriftstellers. Was Jaccottet in den etwa vierzig Jahren seiner dichterischen Arbeit geschaffen hat, ist nämlich gerade ein Gewährenlassen, Zur-Geltung-Bringen und In-Schwebe-Halten: der Räume, der Dinge, der Stille und vor allem des uns umgebenden Lichts (in Abwandlung einer im *Spaziergang unter den Bäumen* als Beispiel höchster, das heißt bilderloser Kunst zitierten Gedichtzeile Hölderlins: »Und mit Gerüchen umgaben Bäum' uns«). Wie aber schafft Philippe Jaccottet solch ein Gerechtwerden, solche – in seiner angemessen lakonischen Sprache – *justesse*, angesichts seiner Welt, die bei ihm einmal »die Welt der wunderbaren Ungewißheit« heißt? Was ist seine Weise?

Als Hauptantrieb seiner poetischen Aktivität erscheint mir ein energisches Sich-Nichteinmischen in den Gegenstand, ein entschlossenes In-Ruhe-Lassen (auch um die eigene »ewige Unruhe« zu stillen). Der Ausgangsort eines jeden seiner Texte ist das: »Höre! Schaue! Schweige!« Hör das Schrillen der Schwalben über den Häusern. Heb den Kopf zu ihrem Kurven im Himmel. Entsprich mit deinen Sätzen und Strophen dem Schweigen, das beides in dir erzeugt, und das doch gerade der Anfang zu deinem Schreiben ist. Der Dichter Jaccottet hat, wie er es im *Spaziergang unter den Bäumen* einmal ausdrückt, als »Entzifferer« angefangen, ist aber im Lauf der Jahre oder Jahrzehnte davon abgegangen und zum bloßen »Diener des Sichtbaren« geworden: »das bloße Nennen der sichtbaren Dinge, in einem Schwebezustand zwischen Anspannung und Abgelöstheit, (welches) von meinem Geist zur Welt hin ein unsichtbares Netz knüpfte ..., dank dessen die Welt, indem sie aufhörte, mir feindlich zu sein oder auch nur sich zu entziehen, mir Beistand, Aufenthalt und Schatz wurde.« Die reinen Namen also? Nein, »das Gebet des Namens«, wie Jaccottet dazu einen indischen Dichter des siebzehnten Jahrhunderts zum Zeugen beruft.

Hier ist jetzt ein letzter kleiner Umweg angebracht, in dem Sinn jenes Satzes wieder aus dem *Spaziergang,* der lichtesten aller Poetiken dieses Jahrhunderts: »Ich mußte weitermachen, durfte keinen Umweg unbegangen lassen.« Es ist, auch in den ernsten Zeitungen, üblich geworden, von – gleichwie – öffentlichen Personen so etwas wie Psychogramme umlaufen zu lassen. Meister des journalistischen Metiers fingern da ihrer Leserschaft mit geübten Griffen aus der Alltagspsychologie die Charakterzüge eines gerade aktuellen Menschen auf. Das hat sich längst eingebürgert bei Politikern und Sportlern, ist in der jüngsten Zeit aber auch eine Methode bei Kulturjournalisten geworden, gegenüber – sagen wir einmal für diese vielfältigen Leute, für die ich keinen Namen habe – »unsereinem«. Wie fragwürdig dergleichen auch ist, so kann es doch hin und wieder recht sein, wenn die Person einmal die Hauptsache ist, sei es in ihrer Art des Auftritts oder ihrem Abtreten, dem Tod. Unrecht jedoch (ein sehr mildes Wort) wird daraus, sowie ein derartiges Psychogrammieren losgeht auf die einzelne Arbeit. Dieser – wie es mir jedenfalls vorkommt – neumoderne Feuilletonistenzug ersetzt die Kritik an der Sache vollständig durch das Psychologisieren, welches ausschließlich ein *Psych-*

iatrisieren ist, exekutiert von selbsternannten Gerichts-
gutachtern, und ausschließlich in der Absicht, die jeweilige Person als Schuldigen, als Delinquenten erscheinen
zu lassen und seine Sache, statt als das aus ihm Hervor-
gekehrte, von ihm Erarbeitete, als bloßes Beweisstück,
als ein nur das Gericht angehendes corpus delicti. »XY
hat dieses Ding nur deswegen gedreht, weil er ...« (folgt
das psychiatrische Gutachten). Was da eingerissen ist,
betrifft mich, wann immer ich darauf stoße, auch wenn
es um andere geht, schmerzhafter als zum Beispiel jene
eselige Brücke »Leben – Werk« in dem beliebten Mo-
zartfilm, wenn das Gezeter der dummen Künstler-
Schwiegermutter übergeht in die schrillen Töne der
Königin der Nacht: Hier geschieht, unter dem Vorwand der Aufklärung, fortgesetzt Tabuverletzung, und
dieses verletzte Tabu, auch wenn ich selber nicht betrof-
fen bin, verwundet etwas tief in mir, und revoltiert
mich, mag ich mir auch immer wieder vorsagen, daß es
statt dessen Teil der Arbeit von unsereinem wäre, solch
ein Tabu förmlich wiedereinzusetzen und, ja, frisch zu
weihen.
So habe ich jedenfalls, über diesen Umweg, versucht,
mir ein Psychogramm vorzuspielen, wie es solch ein
neuer Meister der Seelenkunde, allein aufgrund der
»einschlägigen« Lektüre, gegen die ihn (und uns) unbekannte Person des Philippe Jaccottet ausstellen könnte.
Nein, da ist nichts zu versuchen, dieses Spiel bleibt für
mich ein Verbotenes; und außerdem würde es durch die
Arbeit Jaccottets, Zeile für Zeile, schon im Ansatz
entkräftet: das Zaghafte oder Zagende, das so jemand da
herauslesen könnte, hat doch – und das macht das Spiel
gleich unmöglich – jedesmal seine Form und erscheint

dergestalt gewendet und aufgehoben in etwas Allgemeines, Gesetzmäßiges – das vermeintliche Zagen als jenes sanft-gebieterische Zögern und Sichzeitnehmen des Poeten, als eine durch die Schrift erst geschaffene Haltung des Abstands, der Scheu und der Geduld – wenn das »Zagheit« sein soll, so habe ich mir beim Lesen der Gedichte einmal gedacht, dann ist es eine wunderbare. »Reden ist also schwer, wenn es Suchen ist ... was suchen?« heißt es in einem, und in einem anderen: »Suchen wir eher außer der Reichweite ...«

Und ebenso unmöglich wäre es, aus den Büchern Jaccottets etwa das Konterfei eines schwärmerischen Individuums herauszuzerren; die Satzteile, welche zu solch einem Verdacht den Anlaß gäben, könnten allein grammatikalisch gar nicht so dastehen ohne den ergänzenden, widersprechenden, vielleicht selbstkritischen, jedenfalls ernüchternden anderen Satzteil. Und wieder wird durch die poetische Sprache das Als-ob-Schwärmerische, das Als-ob-Persönliche gelichtet und gelüftet, zum Beispiel oder zum Gleichnis: in diesem Fall zu Beispielen für die uns vielleicht allen gemeinen Momente des Aufschwungs, durchkreuzt schon im Erleben von der »ewigen Enttäuschung« (wie das Patricia Highsmith genannt hat). »Ich empfand das Glück einer Neugeburt, aber ich war nicht weise genug, sie geheimzuhalten« – so steht es im *Spaziergang unter den Bäumen.*

Und schließlich: »Entlarvt« oder »verrät« – beliebte Kulturseitenwörter – sich dieser Jaccottet in seinen Texten nicht als ein völlig passives Individuum, welches Tag und Nacht, sommers und winters, nichts tut, als aus seinem Fenster zu schauen, welches einmal gar zu »unserem Schatz« stilisiert wird, nichts tut, als auf die Vögel, den Wind und die Bäume zu hören? Gerade daß er, laut eigenen Angaben, einmal kurz vor die Tür tritt, um Holz zu hacken! Und was heißt »La promenade sous les arbres«? Als wir uns das Buch dieses Titels vornahmen, ist uns kein einziges Mal die Vergegenwärtigung eines richtigen Spaziergangs unter die Augen gekommen! Muß da nicht der Verdacht geäußert werden, daß dieser Kontemplationist und Ich-Sager nicht einmal aktiv-gewandert ist, sondern einfach so mit den Augen, und mit der Hand über bloßes Papier?

Jetzt aber im Ernst: Philippe Jaccottet hat es, anders als die meisten von uns, durch seine zarteste Aktivität, jene des Formgebens – Ruck der Begeisterung von der Sache und langausdauerndes Maßnehmen –, erreicht, daß die von ihm geschaffenen Dinge von der Person des Poeten, des Machers, kein Bild, nicht einmal einen Umriß oder einen Schatten geben. Vollkommen übergegangen in Sprache, ist er der unsichtbare Dritte, und lehrt, ohne es zu wollen, den Lesenden anhand der Probleme, von denen er so vollkommen spricht, und der Fragen, die er so durchlässig stellt, was der Künstler oder, warum nicht, Dichter in seiner Arbeit ist: *der gesetzmäßige Mensch*, ohne Stimmungen und ohne Launen.

An einem Vergleich mit jenem anderem, der immer wieder zu Jaccottets Vorfahren gezählt wird, sei das kurz verdeutlicht: Senancour und dessen *Oberman*. Ich denke, daß die scheinbaren Gemeinsamkeiten geradezu Gegensätze sind. Jenes Ich namens Oberman ist ein empfindsamer Einzelner, der Sprecher bei Jaccottet aber ein empfindlicher Allgemeiner, und ich bestehe auf dem Unterschied zwischen Empfindsamkeit und Empfindlichkeit, mag das auf den ersten Blick auch spitzfindig wirken. Oberman überläßt sich seinen Launen und wird dadurch zum Typus, abhängig von den jeweiligen Landschaften, den Jahreszeiten und besonders dem Licht – in einer unteren Spielart: dem Wetter; und sein Autor gibt diesen zahllosen Stimmungssprüngen seines zweiten Ich unter einem jetzt wolkenlosen, jetzt bewölkten Himmel jedesmal fast eifrig nach. Auch bei Jaccottet meldet sich immer wieder dieses zweite, lichtabhängige Ich, zum Beispiel in den folgenden Zeilen der »Gedanken unter den Wolken«: »Es ist wahr, all diese Tage hat man kaum die Sonne gesehen, / unter so viele Wolken zu hoffen, ist weniger leicht ...«. Dann jedoch, anders als Oberman, erkennt er seine Abhängigkeit, und die Tätigkeit des Gedichtes wird es, sich davon loszusagen; der Laune abzuschwören: »Wie wenig Kraft müssen wir haben / daß wir aufgeben, nur weil die Sonne fehlt ... / Wie kindisch müssen wir geblieben sein / uns vom Blau des Himmels gerettet zu glauben / und bestraft von dem Gewitter oder der Nacht.« Es gibt geradezu eine Regel der drei Schritte in den Poemen Jaccottets, vor allem den späteren: Lobpreis des sichtbaren, äußeren Lichts; Einverständnis mit der Nacht und Finsternis; Anruf des unsichtbaren Lichts: »Das Wasser, das man nicht trinken wird, das Licht / das diese zu schwachen Augen nicht werden sehen können, / ich habe den Gedanken daran noch nicht verloren ...« Ebenso wird man, anders als bei Oberman, von dem Sprecher Jaccottets nie auch nur einen Ansatz des Jammerns, des Sich-Beschwerens, Sich-Beklagens finden; mag es um das Altern gehen, oder um einen geliebten sterbenden Menschen: die Stimme, die spricht, bleibt sozusagen ohne jeden Tonfall, ohne Schwankung, ist die der Klage selbst, *de profundis*, wie etwa zu jenem alten Sterbenden: »In dem / wieder zu groß gewordenen Bett, / Kind ohne die Zuflucht zu den Tränen.« Man könnte demnach den bei Philippe Jaccottet am Ende immer das Wort Behaltenden, den Akteur, den an der Sprache Tätigen, anders als Senancours zweites Ich Oberman, das »Dritte Ich« nennen – eben der Künstler als der gesetzmäßige, von Launen freigedachte allgemeine Mensch.

Aber es sind doch aus den Texten zwei Rückschlüsse möglich (und hier *nötig*) – nicht auf die Besonderheiten des Individuums, sondern des Künstlers Philippe Jaccottet: der eine kommt aus der Geographie, der andre aus der Historie (der Künste), und recht bedacht, gehören beide zusammen. Jaccottet ist Schweizer, geboren im Kanton Waadt, aufgewachsen in Lausanne am Genfer See – von daher vielleicht die Vergleiche mit Senancour? Jedenfalls hat seine Poesie gemeinsame Wesenszüge mit einigen großen Schweizer Autoren dieses Jahrhunderts. So fiel mir bei dem, was mir als seine »wunderbare Zagheit« erschienen ist (besser wäre wohl das Wort »Zögern«), immer wieder die freilich mit grundanderer *Gebärde* auftretende Bedächtigkeit Ludwig Hohls ein und vor allem dessen Verwerfen des schreiberischen »Übermuts«. (Nur kein Übermut – der war für Hohl geradezu ein Dichtfrevel.) Keine einzige sozusagen übermütige Stelle ist auch bei Jaccottet zu finden, höchstens »ein nicht immer sicherer, doch von Begeisterung beflügelter Gang«, der, gemäß einer ande-

ren Gedichtzeile, vielleicht um einen Schritt voran-
kommt, indem er, nach und nach, »den Schmerz ver-
mischt mit dem Licht«, von dem wir aber, so in jener
Klage um den Sterbenden, nicht erwarten sollen, daß er
»das Licht vermählt mit diesem Eisen«. Wie verschieden
ist solche Haltung doch zu der unseres alten Goethe,
dessen *West-östlicher Divan* eine Gedichtzeile daraus
fast zum Motto haben könnte: »Denn Dichten ist ein
Übermut.« Freilich: auf die Frage dazu einmal das
großartig-verschmitzte Abwinken und Lossprechen
Ludwig Hohls von der Übermutssünde (»der Weimarer
hatte seine Bedingungen, und ich hatte eben die meinen«), und eine entsprechende Antwort stelle ich mir
auch von Philippe Jaccottet vor, wenn auch wieder mit
grundanderer Gebärde, vielleicht nur einem kleinen
Blick oder einem leichten Lächeln: »Ist mein ›Ich habe
mich leicht erhalten, / damit die Barke weniger einsinkt‹
nicht mein spezieller Übermut?« – Der andere Schweizer, der mir bei Jaccottet in den Sinn kommt: Robert
Walser, nicht nur wegen der Leichtigkeit, sondern vor
allem, Verzeihung für den Ausdruck, eines vergleichbaren Spielverderbertums. So wie Walser die Schönheit,
oder – ein Wort Jaccottets – »Schöngestaffeltheit«, der
Landschaft oder überhaupt der Welt aufleben läßt, in
seinem zweiten Schritt da aber den Teufel oder das
Robert Walsersche »Teufelchen« hineinsetzt, so tut es
Jaccottet, aufgewachsen, wie es einmal im *Spaziergang*
heißt, unterm »katholischen Himmel«, in einer Art
dichterischen Pflichtbewußtseins, mit Alter und Tod:
sein zweiter Schritt nach dem Lobpreis des Lichts ist
sehr oft das »memento mori«, etwa nach dem »Wie
sollte ich hoffen, so viel Kraft je nach Gebühr zu

begrüßen?« das »unvorstellbare Entsetzen des kleinen aschfahlen Mannes, dem der Schmerz mit jeder Sekunde einen Tropfen seines Blutes entzog«. Unvollständig aber bliebe das Werk beider Dichter ohne den folgenden dritten Schritt hinaus ins Offene, welches für mich am reinsten oder rein zeichenhaft sich einmal bei Jaccottet durch bloße Grammatik, in einem wunderbaren Futurum exactum ausprägt: »Trotzdem werden wir im Vorbeigehen noch gehört haben / jene Rufe der Vögel unter den Wolken.«

Und die historische Besonderheit des Künstlers Jaccottet? Sie zeigt sich klar in einem ständigen Zurücknehmen der Begeisterungen, von dem »Natürlich kommt dem keinerlei Wahrheit zu«, über das »Wort in die Luft gesprochen« bis zu dem letzten Satz der *Promenade*: »Nur die klägliche Sorge um Leib und Leben hindert mich, ein wahrer Dichter zu sein.« Dazu tritt, ebenso ständig, das noch größere Problem: die Frage eines, der sich als Angehörigen und Abhängigen dieser Epoche sieht, nach seinem *Recht* überhaupt zur dichterischen Arbeit: »Ich müßte also entscheiden, ob ich wirklich ein Recht hatte ... von einer Mondnacht zu reden«, oder es spricht »der Andere«: »Ich frage mich manchmal, ob es recht ist, die Bäume so zu lieben, wie du es tust, und ob du dabei nicht auf Abwege gerätst.« – Hier sei von Rilkes, des ein halbes Jahrhundert vor Jaccottet Geborenen, ohnehin schon schwankendem und darum so inständig oder trotzig verfochtenem Dichtertum eher abgesehen; als Beispielfigur für einen historischen Wandel drängt sich mehr noch Francis Ponge auf, der um ein Vierteljahrhundert ältere, zweifellose Lehrmeister – zumindest was den ersten Teil des *Spaziergangs unter den Bäumen* betrifft.

Beiden, Ponge und Jaccottet, gemeinsam ist jeweils der Ausgangspunkt: das Ergriffensein von einem Gegenstand. Wo aber Ponge diesen dann mit Ausdrücken bestürmt und mit Varianten umspielt, geht Jaccottet, um seiner Sache gerecht zu werden, methodisch, langsam und vor allem gleichmäßig auf Abstand, setzt alles daran, durchlässig zu bleiben und, wie es einmal steht, »dem äußeren Licht keinen Widerstand zu leisten«. (Wohlgemerkt, die Unterschiede beider Schreibhaltungen in der historischen Zeit sind gewaltig, aber sie *trennen* nicht, im Gegenteil.) Das Ergebnis bei Ponge: in der Regel am Ende ein kindlich-stolzes, anmutig ironisches Auftreten, bei dem die Stimme des Dichters sich in ein Instrument verwandelt hat, in meiner Vorstellung eine (kleine) Trompete, die hin und wieder in Trauer gestopft wirkt, aber öfter noch schmettert; Jaccottet aber ist, nach einen Spruch von Borges, »entschieden eintönig« geblieben: seine Stimme beginnt und endet als die zittrige, fragende Menschenstimme der Psalmen, »mild, übergänglich« (JWvG), und Ponge würde, wieder in meiner Vorstellung, für den Autor solcher Durchlaß-Formen spielerisch die Wörter »*pay*sagiste« und »*pas*sagiste« zu einem einzigen zusammenziehen wollen; einmal gut, daß, was mich immer verwundert hat, es im Französischen kein Verb für unser »schweigen« gibt: mit der Umschreibung »*faire silence*« sagt Jaccottet an einer Stelle selber, was seine Position in seiner Zeit ist.
(Nebenbei: die Forderung, das Auftreten, die Rolle, die

wortsichere, bedächtige Frechheit oder Aufsässigkeit, die *instrumentierte* Rechtssuche, ob mit Posaune oder Mundharmonika – sie leben hoch! Bei Uwe Kolbe etwa, dreißig Jahre nach Jaccottet geboren, wird, und sei es auch von den Rändern her, wohin in der Jetztzeit der Ort des Dichters vollends gerückt scheint, wieder poetisch aufgetreten und aufgespielt.)

Der Künstler als der gesetzmäßige Mensch, in dem Sinn, wie es im *Spaziergang* heißt: »Das Wunderbare jedenfalls ist, daß die Arbeit des Dichters ... denselben Gesetzen zu gehorchen scheint wie unsere Lebensführung.« Aber, zuletzt: Ist er nicht auch, wo seine Sprache dem Ding entspricht, gesetz*geberisch* (natürlich immer ohne Absicht, ohne Imperative, ohne Sollensformen)? So wurde, der das fragt, etwa vom Lesen der Zeile »In mir sind versammelt die Wege der Durchsichtigkeit« angerufen, von dem Buch aufzublicken und in dem hohen Gras eines Maigartens nach solchen Wegen Ausschau zu halten ... »Dieses Heute wird nur Reines sagen.«
Der junge John Keats hat die Wirkung der Poesie in einem Brief lapidar so benannt: »Das menschliche Leben und seine (verfeinerte) Wiederholung im Geist«, oder, heute gesagt, Jaccottet variiert die schön gestaffelte Welt in durchlässig gefügter Sprache noch einmal, und noch einmal ... Solch ein wunderbares »Noch einmal« oder »Schon einmal« des Erlebnisses wäre auch die folgende Entsprechung (nicht Übersetzung) des *Spaziergangs unter den Bäumen*: Sie steht ganz am Anfang, geradezu als Stichwort, eines zweitausendjährigen Gedichts, das zwar nicht mit Altern und Tod, aber

mit Heimatlosigkeit, dem Vertriebensein an die Ränder, anhebt, Vergils erster Ekloge: LENTUS IN UMBRA steht da als Entsprechung für »La promenade sous les arbres« – »langsam im Schatten«; wird, wer dieser Inschrift nachgeht, nicht noch einmal so langsam im Schatten?

So also zeigt sich unsereinem Philippe Jaccottets gesetz-mäßiges Schreibleben: Von der Abwehr derjenigen Bil-der, »die ... dem (bewußten oder unbewußten) Verlan-gen entspringen, dem ersten Glied des Vergleichs sich zu entziehen, es zu verbergen oder es zu verfremden«, über jene anderen Bilder, deren »Gegenteil«, hin zu der Sehnsucht, überhaupt ohne jedes Bild »einfach die Tür aufzustoßen«, mit den Gegenständen schlicht mitzu-sprechen, zurück zum Geltenlassen jener Gegenteil-Bilder; dem: »Fähren oder Engel des Seins, / setzen sie den Raum neu instand«. Zumindest eins solcher Bilder des unbekannten Menschen Jaccottet kam mir beim Lesen seiner Bücher in den Sinn, ohne daß es durch den Text selbst irgendwie vorstellbar würde: der noch junge Dichter tastet sich da mit einem seiner Lehrer, oder vielleicht mit dem älteren Dichter Gustave Roud, durch den dunklen Vorraum der jahrtausendalten Klosterkir-che von Romainmôtier nördlich von Lausanne vor in das gerade ein wenig lichtere Hauptschiff, was aber genügen wird für seine Art von hellem Entschlossen-sein.
Und dazugesagt gehört noch, daß all das ein ziemlich lyrischer Prosaist von einem eher prosaischen Lyriker zusammenphantasiert hat, ein wieder gewaltiger, aber hoffentlich nicht trennender Unterschied. (So hat sich

der erstere zu den Phänomenen der schöngestaffelten Welt einmal mozartisch vorgenommen: »Nimm alles ganz ernst und halt dich bei nichts auf«, und so endet eins der späten Gedichte des letzteren, in der Übertragung seines »Sichtbarkeitsdiener«-Gefährten Friedhelm Kemp: »Ich gehe, ich staune, und mehr zu sagen, ist mir verwehrt.«)

Und jetzt laßt uns alle hier von unserer »ewigen Unruhe« für eine Zeitlang – wie das ja der Hauptsinn dieses Preises ist – ausruhen, auf der Klippe von Duino, der zwar gewiß nicht beständig sonnigen, durch den Geist, der einst am Werk war, jedoch gewiß beständig ein wenig lichteren. »Commune dolor« war Petrarcas feinere Wiederholung für den Karfreitag – in den paar kurzen Zwischenzeiten aber: commune laetitia, oder frei nach des Petrarca-Preisträgers wunderbar zaghaftem *Nocheinmal*: »Für eine Zeitlang noch ist man im Kokon des Lichts.«

Nicolas Born, ratloser Liebhaber

Nicolas Born war oder ist ein von Grund auf unruhiger Dichter, er ist einer der seltenen, bei denen die Unruhe rein und hochherzig eingegangen oder übergegangen ist in das Gedicht, bei denen die Unruhe Form des Gedichts wurde, weltoffene Nervosität statt in sich verschlossene, herzlose Genervtheit. Nervosität als eine Art ratloser Nächstenliebe.

Er ist auch der einzige von den Dichtern, die ich kenne, der seine Leser oder Zuhörer anreden konnte; sich schreibend oder sprechend direkt, ohne altväterische Ironie, ihnen zuwenden konnte. Eine meiner tiefsten Erinnerungen an ihn ist eine unerhörte Begebenheit, aus dem Jahr seines Todes, die er uns, einigen seiner Freunde, schön fassungslos erzählt hat. Er erzählte da, wie er erstmals im Leben als Redner drankommen sollte, vor zehntausend Leuten bei einer Kundgebung gegen das sogenannte Entsorgungslager bei Gorleben, nach dem Auftritt fortschrittlicher Politiker und anderer Protesterfahrener, sozusagen als der ortsansässige Dichter, und wie er da auf einmal, ohne Vorsatz, die Massen anreden konnte mit »Brüder und Schwestern«, und wie ihm und den Zuhörern das so neu wie selbstverständlich und ergreifend gewesen sei. Aber noch im Erzählen war er ganz Staunen über seine Anrede, und wir, seine Freunde, staunten mit. Solche Wendungen bestimmen ja auch den Tonfall seiner Gedichte.

Mit seinem Tod ist mir Nicolas Born zur Instanz geworden. Natürlich hatten wir, sooft wir uns trafen, übers Schreiben geredet, ich eher, jedenfalls anfangs, unwillig, er immer dringlich, beharrlich, geradezu lästig manchmal. Aber keiner hatte sich dabei vom anderen dreinreden lassen. Mit Instanz meine ich also: jetzt lasse ich mir vom toten Nicolas Born, Freund, Freunddichter, zu dem, was ich tue, dreinreden. Der tote Dichter bewahrt mich vor Selbstzufriedenheit, vor überhaupt jeder Art von Zufriedenheit. Das geschieht mir sonst von kaum einem meiner Toten. Und trotzdem fehlt mir das Reden mit dem lebendigen Born, dem aus Fleisch und Blut, dem wortsuchenden Fuchtler – es fehlt mir sehr. Phantomschmerz.

Vor ein paar Tagen sprach mich in der Pariser Métro ein Fremder an, der sich dann als Kulturredakteur einer deutschen Zeitung *ent-* und dann *ver*puppte. Er zeigte sich eingeweiht in die Veranstaltung für Born hier, und es entfuhr ihm dabei zu Nicolas Born die im übrigen nicht einmal böswillige Bemerkung: »Der ist auch schon fast vergessen.« Seltsam berührte mich jedes Wort an diesem Satz: das »der«, das »auch«, das »schon«, das »fast«, das »ist vergessen«. Am seltsamsten vielleicht das fehlende Subjekt des Vergessens: der VER-GESSER. *Wer* hat da denn fast vergessen? Wir, seine Zuhörer und Leser? Oder irgendwelche in- und ausländischen Kulturdezernenten, Germanisten, Lektoren oder das Feuilleton? Oder gar die Geschichte? Und was ist die Geschichte? Und wer verkörpert sie? Viele Fragen könnten hier anknüpfen, die aber immer peinlicher würden und damit nur der Grammatik nach noch Fragen wären. So begnüge ich mich mit jener Frage »nach Apollinaire«, die Nicolas Born seinem Gedichtbuch

Das Auge des Entdeckers vorangestellt hat: »Und da so viele Welten vergessen werden / Wer sind sie die die großen vergessen ...«

II

Kleine Chronik des Märchens eines Lebens
(an Hand der Gedichte von Nicolas Born)

I

1965, in einer großen Stadt des Ruhrgebiets, sagen wir, Essen: Ein junger, dabei schon gestandener Mann, der sein Leben, seine Umwelt, seine Ansprüche an wen? – an sich selber, die andern, die Geschichte (ja), schon seit er Bilder sehen, bedenken, träumen kann, zu prägen gedrängt ist durch das Schreiben, vor allem durch das Schreiben von Gedichten. In diesen Gedichten wird er durch die etwa vierzehn Jahre Daseins, die ihm noch bleiben, zugleich mit den Bildern seines persönlichen Umkreises wie keiner seiner Zeit- und Raumgenossen auch den Verlauf der Epoche feinausgeprägt hinterlassen – in Gedichten seltsamerweise alle entstanden bei Gelegenheit, im Vorübergehen: »... und mach Liebe wie Gedichte nebenbei.«
Dieser junge Mann der zweiten Hälfte der sechziger Jahre, so ist an den Gedichten aus der Zeit zu sehen, möchte kein Einzelgänger sein, sondern in der Menge gehen, endlich gemeinsam aufbrechen: die Grundstimmung seiner Gedichte ist die des Aufbruchs, in der Wir-Form. »Die Luft geht uns nicht aus / wenn wir wandern wenn wir wandern.« – »Wir gehen zusammen los / wir

»kommen zusammen an.« Dabei ist der zum Gemeinschaftsaufbruch Drängende weder ein Anfänger noch ein Zielbewußter (oder einer, der das Wir-Ziel weiß): Der Wahrheiten müde loben wir wieder die Gärten.« Und zwischendurch – vielleicht der Hauptzug seines Wesens – staunt er auch nur, entrückt aus Zeit, Epoche wie Geschichte in die Wandelbilder des Tagtäglichen, des Jahraus-Jahrein, wie in diesem Vorwinter-Bild: »Bald werden die oberen Knöpfe geschlossen. / Die Hunde streunen / die Autos parken länger im Dunkeln. / Über den ersten Schnee gehen alte Damen / an der Seite alter Herren. / Merkwürdig ist der Winter / bevor er kommt.« In seiner Art des so beiläufigen wie einprägsamen Vorübergehens skizziert der junge Mann auch immer wieder Selbstbildnisse: »Ich mein Ärgernis / mit Haarausfall und wunden Füßen / einssechsundachtzig und Beamtensohn / . . . Mein Gesicht verkommen / vorteilhaft im Schummerlicht / und bei ernsten Gesprächen. / . . . und die Rücksichtslosigkeit mit der / ich höflich bin.« Dieser junge Mensch aber hat sich in keiner Weise je beschieden (sonst hätten sich nie auch die Gedichte ereignet), er kennt sogar seinen Wert »eine Spur zu genau«, und schon in den frühesten der Poeme kann er unversehens auffordern, anherrschen, befehlen, mit der lakonischen Gestik des geborenen Gebieters – welcher freilich nichts als sein wie der Mitleute Wohl will. »Eine besonders schöne Blume / ein besonders schönes Wetter / öffne die Fenster die Fenster.« Und im Weitergehen kann dieses kleine Gedicht sich sogar selbstverständlich den Blick in eine nahe und erfreuliche Zukunftsstunde erlauben, voraussehend für diesen winzigen Augenblick, und ruhig und liebevoll vorhersagen: »heute Nacht werden die Lampen heller brennen / eine gute Nachricht trifft ein / oder lieber Besuch.«

2

Solch verkündende Momente fallen dem inzwischen über Dreißigjährigen, aufgebrochen aus seinem Ruhrgebiet in das große offene Berlin nach 1968, zwar immer wieder zu, aber weder irgendein Propheten- noch sogenanntes überkommenes Dichtertum können ihn je im geringsten erfüllen: dazu ist es erst einmal nicht die Zeit, und dann ist er dazu auch nicht der Mann – ein ganz anderer Mann ist er, einer, der sich erfüllt nur sieht im Lieben, im Geliebtwerden und der entsprechenden, nebenbei sich begebenden Ausprägung im Gedicht: »Ich bin mir nicht genug« – also: »Du rufst hallo ins Ebbegebirge / ich ruf hallo ins Lennetal / ... uns nicht / aus den Augen verlieren.« Und mächtig kommt dann aus dem Gedächtnis das Wehmutsgedicht »Eine Liebe« daher: »In Köln-Knapsack küßte ich eine Frau / unter einer Brücke 1963. / Wie ihr Gesicht war / so mag ich Gesichter / ... Wir verabredeten uns auf einen Zufall. / So bald komme ich nicht mehr nach / Köln-Knapsack.«
Eine sehr große Familie erscheint mit der Zeit in den Gedichten des gemeinschaftssehnsüchtigen Mannes: die Frauen, die Freunde und dann schon die Kinder, von denen er eines schlicht anreden kann, anders als die Frauen sogar Zeile für Zeile, durch das ganze Gedicht hindurch, »du«, »dir«, »deine«, »wir«. »Kind / ich weiß

nicht was ich / mit dir anfangen soll / überall stehen mir im Weg / deine roten blauen und gelben Würfel / ich bin zu alt / deine Geschichten noch zu verstehn / ... eines Tages bist du so krumm wie ich / dann wissen wir beide nicht was / wir mit uns anfangen sollen / ... aber / vorläufig stehen wir zusammen auf / haben zusammen eine Erkältung ...«

Und je größer, in Zeit und Raum, die Entfernung von der Geburts- und Kindheitsgegend, desto einprägsamer der Blick, auf Vater und Mutter, das Haus der Eltern; im Festhalten dieses Blicks verstärkt sich die kindliche Verantwortlichkeit, auch Treubesorgtheit: Beim Vaterhaus, »da steht nicht nur keine Linde / aber wer hinkommt / findet's schön grün / ... So große Söhne kommen / an Weihnachten / in ihren Autos die Frauen / winken schon und schnallen sich ab / ... Das Dach ist undicht / die Wanduhr tut es noch / auf der Fensterbank liegen Zeitungen / der letzten drei Tage.« Und der spät aus dem Krieg heimgekehrte Vater, »Februar 47 es war hell und kalt / die Pappelallee knüppelhart gefroren. / Am Friedhof nahm er die Mütze ab / er hob die Hand / er grüßte von unten herauf / ein schmaler älterer Mann. / Als er im Haus war sah es so aus / als nähme er sich seine Frau / sie sahen sich an er umarmte sie / sie riß sich los und weinte am Schrank ...«

3

Mit der Zeit aber, Anfang der siebziger Jahre, und mit einem Wohnort zwischendurch in Übersee, erweitert sich dem Mann, dem Gedichtschreiber, der Kreis der

Angehörigen, über die Verwandten, Freunde, Bekannten hinaus zu jener Menge hin, die ja schon des jungen Menschen Traumziel gewesen ist. Das »Wir«, das er in den Gedichten dieser Zeit prägt, ist nicht mehr das der Paare und der Kumpane, sondern jenes des *Sprechers*, wenn nicht für alle, so doch für die vielen, und daß er nun so auftritt, kann er sich erlauben, denn er hat, anders als ein politischer Agitator, für die vielen keine sie einpferchende Doktrin oder Strategie, sondern ein sie zusammenbringendes, rhythmisierendes, die einzelnen dabei klar auseinanderhaltendes Bild. »EINE WELT / in der jeder jeder ist – / Klingt das nicht vertraut? / Könnte das nicht von jedem sein?« Und beglaubigt wird der Sprecher dieser Gedichtphase auch noch dadurch, daß er von Poem zu Poem jeweils *mit* im Bild ist; daß er nicht vom Podest herab spricht, sondern mitten in der Menge geht, Teil von ihr. Er ist, für die Gedichtaugenblicke, zugleich jeder andere, geht sogar über auf die Gegenstände: »Ich war mein Vater / und der Gegenstand / den er 1960 / nach mir warf ...«

In jener, wie sich zeigt, doch nur kurzen Lebensperiode, geht der Gedichtemann durch die Weltgeschichte sozusagen mit einem dritten Auge, für welches er den immerwiederkehrenden Ausdruck »Das Auge des Entdeckers« prägt. Was aber tut das Auge des Entdeckers? Es tut *nichts*, gemäß dem vorangegangenen: Dieses Gedicht »fängt an mit nichts / was wichtig wäre / es ist gern geschrieben ... / es ist leer ... es macht / nichts ...« Und trotzdem übt das zusätzliche Auge eine Wirkung aus – es ist in der Tat zu dem üblichen Blick auf die Menge, auf »uns«, der uns öffnende Zusatz, so: »Für das Auge des Entdeckers sind wir doch mehr / als nur wir selber ...«, und so: »Ich wünsche ein Buch in das ihr alle [also doch alle!] vorn hineingehen / und hinten herauskommen könnt ...«

Die kurze Zeit, da der Mann sieht und das Gesehene aufschreibt mit dem Auge des Entdeckers, ist seine Hoch-, seine Vermählungszeit. Vermählt erscheinen, wenigstens episodisch, Einzelner und alle, Augenblick (des Gedichts) und Geschichte. Keine anderen Poeme aus jenen Jahren und unseren Breiten gibt es, die eine ähnliche Sehnsucht, ein ähnliches Heimweh nach Geschichte, gemeinsamer, heller, täglich neu aufbrechender wecken als die mit dem Blick des Entdeckers – Geschichtsappetit sogar bei einem eingeschworenen Geschichte-Muffel (wie dem an der Chronik dieser Gedichte hier sich Versuchenden zum Beispiel). Es handelt sich da, einleuchtend durch die Umspannkraft der Bilder, wirklich einmal um »das Märchen unseres Lebens«, für das es, jedenfalls seinerzeit, 1970-1972, galt, »die Nerven und das System [...] auf Traum vor[zu]bereiten«, und selbst die Frühstücke des einzelnen ereigneten sich, es war einmal, aber im Gedicht ist es *wieder*, »in der Geschichte«. Denn: »Ist es eine Wohltat allein zu sein / ... ohne das Auge des Entdeckers das sieht wie's schmeckt / ohne das geübte Ohr der Menge?«

Damals, jetzt, in seiner Hochzeit mit der Weltgeschichte, schrieb der Fünfunddreißigjährige zuletzt ein, zwei Gedichte, von denen gesagt werden kann, sie seien »visionär«; visionär freilich nicht, indem sie in eine historische Zukunft blicken, vielmehr in eine erweiterte, augenblicks unerhört-mögliche Gegenwart – das größtmögliche Vibrieren der Gedichtworte, eben durch die größtmögliche Spannweite des gesehenen Bilds, geschah dann im letzten Poem vom *Auge des Entdeckers*, vom »Erscheinen eines jeden in der Menge«: » ... Was ist eine Tatsache wert die unteilbar ist / was ist ein Universum ohne dein Beben / ohne dein Erscheinen vor leeren Sitzreihen? // Die Menge geht auf der Erde / und nichts vergeht in der Menge / auf dem Rücken summender Webstühle / erreichen wir den großen Widerspruch: / das Erscheinen eines jeden in der Menge.«

4

Und kam danach bei dem Gedichtmann, dem diese kleine Chronik hier gewidmet ist, jener große Katzenjammer der Mittsiebzigerjahre, mit Geschichts- und Stadtflucht, so wie er angezeigt scheint in der Überschrift seiner letzten Poem-Sammlung: »Keiner für sich, alle für niemand«? Nein, das Märchen des Lebens setzte sich, Gedicht für Gedicht, fort, wenn auch nicht mehr erzählt vom Entdecker, vom Dritten, sondern, wie noch nie in seinem Lebenslauf, vom einzelnen, vereinzelten, alleinigen: stotternd, ruckhaft, verwirrt, und doch immer noch Märchen – Märchen *meines*, des aus der allgemeinen Geschichte geratenen einzelnen Lebens.
Allerdings erschien in den Gedichten jetzt keine Menge mehr, die mit dem Sprecher mitvibrierte: »Vom Fenster aus seh ich die Menge / eingehn in die Hallen, in die rieselnde Maschine / geplünderte Gesichter, den Morgen leergemacht / keiner mehr für sich, alle für niemand ...« Und das »wir« von ehedem? Und die Vor-

fahren? Und die Wege? »Wir sind jetzt kaltgestellt, Vorfahrn von nichts. / Vertraute Wege sind weg / in irgendwelchen Zielen abgefangen...« War der Gedichte-Geschichtsschreiber jener Jahre überhaupt noch ein Sprecher, einer mit einem Auftreten, einer Richtung, mit Wendungen in den weiten Umkreis? Gehörte zum Sprechersein nicht die Perspektive, hin zu einer Menge wie zu einer gemeinsamen Zukunftsaussicht? Eine solche Perspektive war nun nicht mehr, »ich war nie so zufällig«, »mit uns macht die Geschichte Schluß. / Am genauesten sieht man sie wenn der Zug / langsam entlangfährt an den Rückseiten der Städte / Lagerhallen Höfe, die Kehrseite der Wäsche und der Blumenfenster / die erdabgewandte Seite der Geschichte.« Was tun, ohne Menge, ohne Geschichte? Der Sprecher, zu seiner Zeit mit all den Angehörigen im Licht des Gedichts, entdeckte sich nach und nach allein und verwandelte sich zurück in den Schreiber, und der durfte, nach den enthusiastischen Träumen von der einigen Menge, »ich« schreiben: »In der Nacht war ich zu müde gewesen / den Schlafanzug anzuziehen. Der Schlafanzug / rührte mich im Hellen, so leer, so geräuschlos und / ohne Meinung hing er am Stuhl. / Ich dachte daran, meine irrenden und geknickten Bilder / ziellos in die Luft hinauszusprechen, Verse / so matt und ängstlich und unvollkommen wie / der Körper den ich trage.« Nein, das war da nicht mehr das Auge des Entdeckers, für das wir doch mehr waren als wir selber – das Auge der Mittsiebziger Jahre sah, nicht im aufbruchsgestimmten, sondern wehen Enthusiasmus (aber weiterhin Enthusiasmus, ohne diesen kein Gedicht!) vor allem sich selber, am schmerzhaftesten vielleicht in dem Gedicht »Bahnhof Lüneburg, 30. April 1976«, mit den Zeilen: »Diesige Helligkeit schwebt ein, ohne jede Härte wie / – ich muß mich zusammennehmen – die weiche Hand mit der Äthermaske. / Welch ein Morgen und welch ein Auge darin. / Wie verlassen und müde ich bin. / Wie krank und verwohnt ein Schnellzug vorbei-weht.«

Solch Auge des Ich-Selbst, mit sich alleingelassen, war in dieser Lebens-Dichtens-Phase eher unsteten Aufenthalts, einmal hier, einmal dort, zusammenzuckend, starrend, weit sich öffnend kreuz und quer durch Europa, Gedicht für Gedicht aber weiter entdeckerisch, so wie »Im Zug Athen–Patras« die Entdeckung der Kleinheit, der Kleinigkeit, des kleinen Lebens sich ausprägt: » . . . und der einzelne Olivenbaum / silberne Helligkeit, großer Sinn / kleinen Lebens, wie schwer verstehe ich. / Grüne Zitrone auf dem Sitz neben mir / hat wieviel mit meinem Leben zu tun. / Schatten des Zuges, Schatten des Esels, / viele dürre helle Bäume, kleine Schatten / in die Welt gesetzt, / kleine Liedchen, summt.«

Bei aller Unstetigkeit aber zeigten sich zwischendurch schon ein Zentrum, ein Wohn- und Schreibsitz, eine Möglichkeit des Verweilens und des fortdauernden sprachlichen Eingreifens des Ich-Selbst, auf dem Weg über das Erzählen. So etwas wie Örtlichkeit oder Ländlichkeit begann zu erscheinen in den Gedichten, ein festes weitgestrecktes Raumbild, beschworen auch nicht mehr von dem Schreiber für sich allein, sondern, neu – das Gedicht als Weckruf – einem Kind, und wieder ging es dabei um Kleines, eine »Kleine Zeichnung«: »Siehst du, Kind, wilde Kastanien / auf dem

Wellblechdach, das Auto / klarsichtverpackt, hartgefroren, / das faulige bereifte Laub, siehst du / Gestalten ... / Saftige Erde, eingefrorner Kahn / du schaust verdutzt aus deinem Wollzeug / das feucht vom Atem ist. / Schöne Abendröte, Stöcke rubbeln / weite gefrorene Seele, dauerndes Erzählen. / ... Kind halt mal! // Aufblitzende Kufe. / Ich sehe nichts, bin nicht da / Zündhölzer flammen auf überm Eis.«

Hier also zeigt es sich schon an, das Übergehen jenes Ich-Selbst (»bin nicht da«) ins Raumbild (»Zündhölzer flammen auf überm Eis«), und danach – es war bereits der »Dienstag, 16. August 77« – die Aufregung, die Verwirrung, die neue Begeisterung wieder einer Verwandlung, welche einsetzte mit dem alten plötzlichen Nichtmehrwissen warum, wo, wie, wohin des Dichters, mit der Sprachlosigkeit, mit dem Stottern, dem Stammeln und zuletzt Klartext-Sprechen, das alles reportiert in einer dramatischen und doch erkenntnisklaren Folge: »Lag oder stand ich da auf meinem Zimmer / wußte nicht mehr / gerade jetzt konnte nicht mehr, nicht mehr sagen was / vor Nichtkönnen, heller Sonne, Nichtmehr-wissen / was selbst ist oder war / ... stotternd kam ich / auf mein Bett, hab nicht gewußt // was muß getan werden? Da kämmte ich mein Haar / kämmte, rote Ziegeldächer, mir war dann schön mit / Zigarillo im Mundwinkel, wußte aber nicht / vor Nicht-mehr-können, konnte nicht wollen mehr. / ... Da lag ich da, wo's nicht mehr weiter weiß, verstreut / vor weiter Wissenschaft / ... Gedanke rot / und grün war da und wieder weg bevor ich wußte, war es / Reise, war es nichts oder Bücherlesen / war es Mutters Geburtstag? / Ein Stück Seife neu war in der Hand, Zitronenfalter flog / aus der Welt auf mich. / ... Um halb sieben nach Hause gefahren zu Frau und Kindern. / Unterwegs die Häuser alle hatten weiße Fenster.«

5

Jenes große Gedicht war zuletzt schon übergegangen ins Notat, und alles, was auf diesen Übergang im Leben des Gedichtemannes noch folgte, Ende November 1977, waren, zumindest dem Titel nach, pure Notizen: »Einige Notizen aus dem Elbholz«, jenem Auengebiet, das schon skizziert erscheint in der »Kleinen Zeichnung«. Die Gedichtform, die den Lebenslauf des jungen Mannes über ein Jahrzehnt lang geprägt hatte – stand sie nicht mehr offen, und galt sie für den Mann in mittleren Jahren, den seßhaft Gewordenen (fern von den Metropolen), den mit der Menge entzweiten, nicht mehr? Jedenfalls gab es, für diese letzten Schreibmonate, jenes »dauernde Erzählen« nicht mehr; wurde, auf den Wanderungen durch das Elbholz, das Ich-allein der Vorjahre zwischendrin schon angesprochen mit »du«: »Du gehst als gingst du unter Freunden / du gehst mit tiefen Schritten durch dich selbst«. Eine Art Rückkehr hatte sich mit dem Notizen-Macher jetzt begeben, wie sie schon Bild geworden war in den Zeilen eines Noch-gerade-Gedichts aus der Spanne zuvor: »Die ruhenden / flüchtig überteerten Straßenbahnschienen – / wieder ein Warten auf alte Zeiten / wie Rückkehr zum Handschriftlichen.«
In der Tat waren die Notizen aus dem Elbholz geprägt von der Handschriftlichkeit – als eine Rückkehr dahin

aber gebärdeten sie sich in Wahrheit an keiner Stelle. Sie bedeuteten für den Aufschreibenden vielmehr einen Anfang – nun erst, nicht schon vor fünfzehn Jahren in seinem Stammland, hatte er sich (der Trennungsschmerz von der vertrauten Gedichtform ist Notiz für Notiz zu spüren) in einen Anfänger verwandelt: der Geher und Kritzler im vorwinterlichen Elbholz war nun einmal so jemand wie der vielzitierte »blutige Anfänger«: Keine große Zugehörigkeit mehr, keine Geschichte mehr, kein Ich-selbst mehr, kein rhapsodischer Gedichtschwung mehr. Zugleich war solch Anfang doch wieder bezeichnet von Entdeckungen – woher sonst die regelmäßigen »sofort«, »augenblicklich«, »plötzlich«, womit immer neu die Notizen anheben. Anheben? Ja, und in diesem Anheben schwang in den scheinbaren Notaten, ließ der Leser sie nur auf sich einwirken, wenn auch fragmenthaft, der alte, der unverwüstliche Gedichtton mit, tönend freilich statt von der einst ersehnten gemeinsamen Geschichte eher von einer japanischen Allgegenwart: »Alles nicht aus Ideen gemacht, schwarzes / nasses Geäst der geschmähten Eichen / rumpelt am Himmel«. Und dann: »Hier bin ich wo die gestanzten Horizonte / nicht sind – eiskalter Bleistift / zum Jauchzen fehlt uns innere Stimme«. Und dann: »Lichte Wolke, fleischfarben / Lichtung, helle Windstille, schön hingelagert / für ein Fest das nicht ist.« Und dann: »Nichts zu sehen / – das Elbholz braucht diese Momente / der Leere und Versunkenheit. / Kleine Luftblasen platzen an den Gummistiefeln«. Und zum Schluß: »Die ganz ruhige Luft am Nachmittag. / Es wird bald dunkel, das Land hinter dem Strom / wie eine gespannte Sehne«.

Notizen? Gedichte? Mittel-Dinge – aber keineswegs jedes so wie die eben zitierten Beispiele in Ruhe, sondern immer wieder auch auf dem Sprung, bereit wie seit je zum Aufbruch. So bildeten sie alle zusammen sozusagen Schwelleninschriften (manche auch bloße beiläufige Schwellenkritzeleien) – Aufzeichnungen eines Menschen, der sich einerseits sein endliches Ansässiggewordensein klarmachte (»Die Zufriedenheit, heimzukommen danach / kann ich nur hier spüren«), andrerseits seine neue Verantwortlichkeit, für diesen besonderen Raum: der Notat-Dichter als der Raumverantwortliche (»In ihrer [der Landvermesser] Optik / ist alles zu schade, um nur dazusein. / Gelbe Helme, gelbe Plastikmäntel – haßerfüllt / blicke ich ihnen entgegen wie der einzig / Einheimische«). Und in der Mitte der Schwelleninschriften wiederholte sich, in einer anderen Version, seltsam das Paradox oder der »große Widerspruch«, den es zur Zeit des Auges des Entdeckers zu »erreichen« galt (»das Erscheinen eines jeden in der Menge«): Im Elbholz, damals an der Jahreswende 1977/78, jetzt, bei den Dingen »Selbstgespräche mit allem hier«, so daß im Verlauf dann auch einmal gesagt werden konnte: »Wenn ich sterbe will ich allein sein / nicht mich berühren, nichts verwischen / kein Wort ...«

Wenn die Notat-Gedichte aus dem Elbholz nicht mehr vibrierten wie alle die früheren, so waren sie doch bestimmt von einer, weiterhin sucherischen, weiterhin entdeckerischen Zittrigkeit, welche vielleicht mehr noch den Zugang (zum von ihr hingetupften Raum) öffnete als die vergangene Vibration. »Dünnes Land, die Schwebe haltend und / das tragende Wasser tragend«,

und die »Seelen der Bäume, Vögel / alles von mir genommen und ausgestellt«.

6

Am 7. Dezember 1980, genau ein Jahr nach dem Tod
Nicolas Borns, besuchte ich an einem bitterkalten
Schnee-Abend sein Grab auf einem Friedhof an der
Elbe. »Die Pappelallee knüppelhart gefroren . . .«, »das
Gras im Reif quietscht«. Ich glaubte im finsteren Frost
das Klicken des Wassers am vereisten Stromufer zu
hören. Danach war ich der einzige im Nachtbus, an den,
bis über die Fenster und das Dach hinauf, die Schnee-
schwaden brandeten. Zwei Tage später, bei Paris, hörte
ich in den Frühnachrichten von der Ermordung John
Lennons, und das einzige, was ich da denken konnte,
war »Lieber John Lennon«. Lieber Nicolas.

Franz Grillparzer
und der Clochard von Javel

Um Franz Grillparzers willen bin ich hier; und möchte zugleich um seinetwillen schweigen. Er erscheint mir als einer der problematischesten unter den nicht gar vielen aufs Ganze gehenden großen Abenteurern des Schreibens – jedes seiner Abenteuer damit, ob bestanden oder nicht, öffnet den Sinn für ein Problem –, und so als einer der interessantesten oder »nächsten«.

Wie kaum welche sonst lassen sich seine Sachen studieren, und nicht nur von einem Berufs-Nachfahren wie mir jetzt (wozu ich stehe, zwischen Stolz, Galgenhumor und Verlegenheit): Grillparzers Formprobleme zeigen Lebensprobleme, die wohl jeder von seiner Sache Begeisterte und dabei Gewissenhafte zu bestehen hat, in gleichwelchem Beruf, Politik, Handwerk, Handel. Sein Leben, so sehr es vor allen Handlungen, bis auf das Schreiben, zurückscheute, wirkt, auf eine geradezu beispielhafte Weise, dramatisch: denn es stellt, wie eben vielleicht nur das der ganz unbedingten Schreiber, in all seinen Phasen exemplarisch Vergleichsformen für die Stationen, Situationen und Wendepunkte auch unseres, des Lehrers, des Arztes, des Forschers, Lebens dar, die Augen öffnend und Erkenntnis stiftend sowohl für die Übereinstimmungen als auch die Gegensätze.

Alleinbleiben mit dem, was man tut, oder dazu sich ein Volk suchen? Es erfinden? Welches Volk? Auf eigene Faust wirken oder im Zusammenhang? Und in welchem? Einem tatsächlichen, wie dem eines Staats oder gar eines Reichs, oder einem eingebildeten – einer erträumten Einheit, eben kraft Abseitsbleibens und Alleinschaffens, als dem Abglanz des ursprünglichen Einheitstraums, in Gestalt eines von der Historie energisch losgesagten und so vielleicht umso tatkräftigeren Werks?

Die Dringlichkeit, geradezu Wildheit, mit der Grillparzer in seinem Lebenswerk diese Fragen sozusagen auf die Jagd schickt, und zugleich die so anders schöne Zagheit, Zahmheit, Fasttonlosigkeit und Schwachheit, in der er dann diese und jene eher kümmerliche Antwort heimbringt, das macht diesen Schaffer zu einem großen, herzlieben, verbiesterten – beispielhaften und auch immer wieder abschreckenden – Ahnherrn, sicher nicht allein für mich.

Viele nach ihm haben ihn so beansprucht, eine Reihe als Bild, eine andre eher als Gegenbild. Zur ersten gehört Hugo von Hofmannsthal, der als Dreißigjähriger von dem Vorgänger die eigene Zerrissenheit – als akuteste Einsamkeit – bestätigt fand, und später wohl auch die Trauer über den Zerfall des Habsburgischen Reiches; gehört, freilich eher, wie es manchmal seine Art war, im Vorbeigehen, auf der Durchreise, Thomas Mann, für den Franz Grillparzer ein »großdeutscher« Dichter, in den zwanziger Jahren noch kein Waffenwort, war (»auf dessen deutschem Werk der Schmelz des Österreichertums schimmert«); gehört Joseph Roth, der wiederum seinen Helden als den Herold der spanisch-katholisch-österreichischen Monarchie brauchte, »spanisch ... wie die Habsburger, römisch wie der Papst: der einzige konservative Revolutionär, den die Geschichte Österreichs kennt«, zum Einsatz gegen das Preußische, Pro-

testantische, die Parvenüs mit der »falschen Krone« und den »Hinterladern«; und aus der Reihe, denen »der Taferl-Klassiker Grillparzer« zum Gegenbild dient, als einer für alle Karl Kraus, der da wieder einmal aus Scharfsinn kleinlich wird, oder aus Kleinlichkeit scharfsinnig?, und so, wie es eben Scharfsinn und Kleinsinn im Verein anzurichten pflegen, sein Gegenbild zum Zerrbild, zum Unrecht, zum Verrat seiner Sache an bewährte Wortspielerei mißbraucht: »papierne Ebenheit der Welt Grillparzers«, »Halm, dem Verwandten seiner Blutleere« ... – zu welcher Verzerrung auch gehört, es dem Dichter anzurechnen, was seine Ideologen (*nicht* seine Leser – Leser können nie und nimmer Ideologen sein) mit ihm anrichten: durch Grillparzer der »Anschluß« ...; und auch gehört, blindlings, im voraus das Abwerten im Sinn, das Vergleichen: »... Raimund, der der echtere Dichter war«, »... Nestroy, an dessen Gebiet außen weder des Meeres noch der Liebe Wellen anschlagen, in jeder Zeile mehr Lyriker, Dramatiker und Epigrammatiker ... als der ganze Grillparzer«.
Nein, Karl Kraus, nicht dieses sinnlose Entzweien des Zusammengehörenden: Franz Grillparzer *und* Ferdinand Raimund *und* Johann Nestroy, und, und ..., *und*, auf deine Weise, auch du, K. K.; denn anders als deine Nachäffer warst du ein Kämpfer, kein Schieler, warst ein Empörter, kein Aufgeblasener, kämpftest deinen im großen und ganzen gerechten, wenn auch oft kurzsichtigen Kampf allein, auf deinen eigenen Füßen, und nicht als epigonales Scheingefecht für Sold, in einem nichtsriskierenden Schwatzklüngel.
Doch außerhalb der beiden Reihen – wie sehe ich jetzt, wie sieht ein Dritter, ein Leser aktuell (vor allem der

Selbstbiographie und der Tagebücher) den Franz Grillparzer?

Folgendermaßen sehe ich ihn, im gehörigen Widerspruch und Durcheinander, gemäß meinen wahrschein-
lich auch ungenauen Gedächtnisfragmenten: Auf seinen, für einen damaligen Österreicher gar nicht so
wenigen Reisen die Wege eher mißachtend, auf Kosten
des jeweiligen Ziels (wo er dann seine Tage, so oder so,
im großen und ganzen in Quarantäne verbrachte). Der
angeblich mit seinem Los stets unzufriedene, grämliche
Beamte, und der doch zwischen den Akten, auf und
unter der Leiter, stolze Stunden der düsteren Abge-
schiedenheit in Wonne erlebte. Dem der Himmel auf-
ging angesichts der Schönheit einer Jüdin im Prager
Ghetto, und der sich auf einer nächsten Reise seines
großmäuligen jungen Begleiters und Mündels sinnen-
schwaches antisemitisches Zungenrollen mit Genuß zu
Gemüt führte, siehe das Tagebuch. Der unter seinem
Ruhm, dessen österreichischer Abart zumindest, litt,
und auf wieder einer Reise, in Boulogne-sur-mer auf das
Schiff nach England wartend, allein, abseits, gleichzeitig
litt unter der Namenlosigkeit, Heimatlosigkeit, Verlorenheit (im Bild sehe ich ihn dort nach hundertfünfzig
Jahren noch neben dem Hafen auf einer Düne stehen,
im Wind, ein anderer Januskopf – gesichtslos nach vorn
zum Wasser ebenso wie zurückgewendet zu seinem
Kontinent). Nie war er in Spanien, der Heimat seiner
Formen, seiner Formheimat, eben deshalb? »Von der
Humanität durch Nationalität zur Bestialität«: hat er
diesen so beliebtgewordenen Spruch nicht gegen den
Nationtraum der Tschechen gemünzt, deren Sprache
für ihn bloße Mundart, nichts als Dialekt war? Bewe-

gungsbehindert in seinen letzten Jahren durch einen Treppensturz, viel schweigend: ich stelle mir die Reglosigkeit und das Schweigen des Österreichers Grillparzer an seinem Schreibtisch in der Spiegelgasse als ein Werk vor, ausgeführt etwa von Alberto Giacometti oder Walter Pichler, und wiederhole mir dazu jene einmalige Anrede des alten Menschen in seiner Antwort auf einen Geburtstagswunsch Adalbert Stifters – nie hat Franz Grillparzer wohl sonst jemanden so tituliert –: »Edler Freund!« Und: zwischen ihm, dem begeistert-beharrlichen Schreiber, und seinem Land schien es seinerzeit noch um etwas zu gehen – vielleicht aber auch nicht.

Vor drei Tagen habe ich Franz Grillparzer tatsächlich gesehen, spät am Abend, unten in der Métrostation *Javel* am Pont Mirabeau in Paris. Er saß, allein, auf der hintersten Bank des Quais, im langen, zugeknöpften Mantel, inmitten von mehreren prallen Plastiksäcken. Aus diesen zog er, nach jeweils langem Hineinlugen, in einem fort andere Plastiksäcke, gefaltete, schlug sie auf wie Landkarten, studierte sie, erst starr, dann kopfschüttelnd, faltete sie mit Sorgfalt wieder zusammen, schichtete sie um und um, und so fort. Diese Sachen, groß und klein, turmartig, gebaucht, in schönen Abständen, links und rechts von ihm auf der Bank gereiht, erinnerten mich, unwillkürlich, an die Vasen, Kelche, Krüge und Schüsseln der Stilleben des spanischen Malers Francisco Zurbarán, so streng standen sie im Glied, wohlgeformt, ein Maß, ein Rhythmus, und der Mann in der Mitte, wie er mit ihnen hantierte, gehörte, samt seiner Gemessenheit und eigensinnigen Treue, seinem Schüttelkopf und seinem vollkommenen Auf-sich-allein-Gestelltsein dazu als eine von Zurbaráns entrückten, stark-schwachen Heiligenfiguren. Entrückt? Der Mann jenseits der Gleise – er wartete auf keinen Zug – hob in seinem Rumoren zwischendurch immer wieder den Kopf und äugte herüber zu mir; er brauchte für das, was er tat, mich, den Zuschauer; halb versteckt in den lichtschwächsten Winkel, suchte er »mich«. Von Toten, zumal mit einem lebendigen, seltsam brachliegenden Werk, läßt es sich leichter sagen: »Ich liebe ihn«. Ich liebe Franz Grillparzer, durch das, was ich von ihm erfahre an der Hand seines Werks, sehr.

Einige Bemerkungen zu Stifter

Für Momente der Eindruck, eine Erzählung Voltaires zu lesen, geschrieben im Alter, jenseits der Ironie des »Jahrhunderts der Lichter«, lange nachher ..., so sehr ist die Durchsichtigkeit Adalbert Stifters vergleichbar jener des Autors von *Zadig* und *Candide*, und so unterschiedlich ist dabei der Ton. Für Stifter geht es weniger darum, eine gewisse blinde Weise des Weltanblickens zu kritisieren, als einen neuen Blick auf die Welt zu gestalten, einen dritten Weg, außerhalb derer der Vernunft und der ekstatischen Tänze der Unvernunft, an der Hand des Erzählens (oder des Rechenschaftgebens) der Erst-Dinge, welche, nach Stifter, das Sanfte Gesetz der Menschheit angeben.

Diese Dinge, beschrieben statt mit dem Licht der Vernunft und der Ironie, der oft so zarten, des Voltaire mit dem Licht der Jahreszeiten, bilden nicht, was im Französischen »Natures mortes« (Stilleben) heißt: es sind, im Gegenteil, Lebende Naturen, atmende. Und da schließen sie sich an an die Felder, die Wiesen, die Bäche, die Steine und die Winde der *Eklogen* und der *Georgica* des Vergil, welcher vielleicht der dem Adalbert Stifter nächste Autor ist. Ein Satz in *Turmalin* macht diese Nachbarschaft spürbar (und läßt gleichwohl Voltaire als eine Art Bruder erscheinen): »Er hatte freiwillig diese Wohnung gewählt, ... weil es seinen dichterischen Kräften, die sich nicht, sowohl im Hervorbringen, als vielleicht im Empfangen äußerte, zusagte ...« Die Dinge sind nicht umgeformt durch die

Wörter, vielmehr treten mit deren Hilfe in Erscheinung, umrissen von durchsichtigen Wörtern, welche ihnen ihre Kindheitsform geben: eine hellichte und farbige Prozession zusammengehörender Dinge, rhythmisiert durch eine »Spezialität« des Stifterischen Stils, die Weglassung des Komma in der Litanei der Phänomene.

Man spricht von den »himmlischen Längen« Beethovens – und ebenso könnte man von den »himmlischen Langsamkeiten« eines Adalbert Stifter sprechen. Die Langsamkeit der stillen und sanften Prozession seiner Dinge, Landschaften, Helden: als kehrten sie zurück, erschienen neu nach einer sehr, sehr langen Vergessenheit. »Es hat sich in vergangenen Zeiten zugetragen ...« (*Turmalin*).

Bei Stifter hat ein jedes Ding seine Zeit, nach dem Bild und dem Takt der Perioden des Alten Testaments. Und, wie in der Bibel auch, möchte das zugleich angeben: jedes Ding, für dich, der du liest, für dich, der du hörst, *soll* seine Zeit haben. Jedes Ding gibt ein Gesetz.
Urteil oder Meinung in den Erzählungen Stifters: kaum vorhanden. Und wenn es doch geschieht, lese ich dergleichen, mag ich auch mit dem Urteil einverstanden sein, als einen Fehlschritt, als eine Schwäche, einen Mißton. Und ebenso ergeht es mir bei den so seltenen Stifterischen Wortspielen, Virtuositäten, Paradoxen (so gehaßt von Nietzsche): »... folgte, daß in seinem Leben nur Anfänge ohne Fortsetzung und Fortsetzungen ohne Anfänge waren ...« (*Bergmilch*). Mit wem will Stifter da in Konkurrenz treten, Stifter der Reine?

Völliger Mangel der Hintergedanken bei Stifter. Keinerlei Doppeldeutigkeiten oder Seitenblicke. Allein die »Vordergedanken« zählen, und erzählen (sich). Von daher das (anti-historische) Erzählen von einem Weltideal, von einer idealen Welt. Hier auch noch eine andere Vergleichsmöglichkeit: mit Thomas Bernhard, einem weiteren Einwohner Oberösterreichs. Bernhard stellt, schiebt, schnellt alle nur möglichen Hintergedanken in den Vordergrund und ins Licht, jedoch mit der gleichen Inständigkeit, dem gleichen Rhythmus, dem ebensolchen Gleichmaß wie im Jahrhundert vor ihm Adalbert Stifter. Und jene Erzählungen von langen Abwesenheiten, worin sich die beiden zusammenfinden: bei Stifter jene verlassene Küche, wo »die vom Faßbinder verfertigten Holzgefäße sich aufgelöst hatten, so daß die eisernen Ringe rundum lagen«, und bei Bernhard jenes Schlüsselloch in der Eingangstür zu einem aufgegebenen Haus, das Loch verstopft von den toten Fliegen, durch welche der Schlüssel kaum durchdringt.

Viele Aktionen bei Stifter, freilich eine jede minimal, ohne anekdotischen Dreh, ohne Drama, ohne Kulmination. Also kann der Lesende sie auf der Stelle wieder vergessen, und ebenso die Erzählung gleich wiederlesen, überrascht von diesen Aktionen, wieder und wieder. Stifter und »das schweigende Leben der regelmäßigen Formen in der Stille« (Ludwig Hohl).
»Sie sagen, die Gegend sei häßlich, aber auch das ist nicht wahr, man muß sie nur gehörig anschauen.« *(Kalkstein)*

Zeit für eure Toten!

Eine Skizze zu den Büchern Gerhard Meiers

Für den Anfang probieren wir einen Vergleich der Bücher Gerhard Meiers mit dem, was, bald hundertfünfzig Jahre vor seiner Zeit, Adalbert Stifter geschrieben hat: Sanft ist das Erzählen Meiers wie dasjenige Stifters, umkreisend, kreisend, wiederholend, variierend, an der Hand, in Verfolg, im Blick, im Erlauschen, auf den Spuren der sogenannt kleinen Dinge und der Dinge der Natur, und wie bei Stifter sind die Bücher Gerhard Meiers am Ende Erzählungen von einem Gesetz, das freilich an keiner Stelle diktiert wird, sondern allein durchscheint und musterhaft sich zeigt, eben als pure Erzählung, in deren Gegenständen sowohl als auch in deren Art, deren Tonfall, auch deren Ton- und noch mehr Bild*sprüngen*. Doch anders als bei Stifter ist das Gesetz, von dem Meier seit nun schon langem erzählt, nicht bloß jenes sanfte, das vom Rauschen der Bäume und vom Glänzen des Himmels ausgeht: Gerhard Meiers Gesetzes-Erzählungen sind zusätzlich solche vom entschiedenen, zornigen, ja harten *Verneinen* sehr zahlreicher Gegenstände – Bauten, Maschinen – und Strukturen – politischer, gesellschaftlicher – des zeitgenössischen Lebens; so schroff ist manchmal das Widerspiel des Bejahens und des Verneinens, daß die Bücher aus ihrem Gleichgewicht gerieten, wäre nicht immer auch die poetische Gerechtigkeit im Spiel: das Gleichmaß, der Gleichmut und der Abstand des Erzählens.

Vom »Wir« zum »Ich«: Was erfahre ich, nachdem wir

den Vergleich der Gesetzes-Erzählungen Meiers mit denen Stifters versucht haben, als das vom ersteren erzählte Gesetz? – Ohne mir je etwas aufzudrängen, steckt mich dieses an – was für eine gesunde, gesund machende Ansteckung! – mit einer von Satzspirale zu Satzspirale sich fast unmerklich fortspinnenden Lebenslehre. Satzspirale: Am Ende erscheint jedes Buch Gerhard Meiers, und all sein Bücherwerk zusammen, als eine einzige, einheitliche Spirale, verknüpft aus zusammengehörigen, sich wiederholenden Sätzen, wobei gerade die winzigen Zusätze, Änderungen, Nuancen, Neuigkeiten ins Freie, in die Weite hinauskreisen, vom schnurgeraden Kanal oder von der stickenden Frau in der Stube hinaus auf die Schlachtfelder von Borodino, auf den Baikalsee oder in den Weltraum, zum Sternbild der »Jagdhunde«, oder auch nur zum Fenster hinaus, wo es schneit. Und das Gesunde an der so ansteckenden Lebenslehre des Erzählers Gerhard Meier ist mir, daß sie nie wörtlich vom »ganzen Leben« erzählt, sondern, bezeichnend für jedes seiner Bücher, jeweils nur von einem Tag: vom Morgen, vom Mittag, vom Abend, von der Nacht. Sogar von meinen schwierigsten Stunden, denen des langen Nachmittags, gibt sie mir Beispiele, die mir meine Anfälle und Zustände von Sinnlosigkeit zu dieser Tageszeit, schon durch das pure Lesen und auf der Spiralspur der Sätze Bleiben, gegenstandslos machen. Gerhard Meiers Erzählwerk (wie »Kraftwerk«, »Uhrwerk«, »Baumwerk«, »Bergwerk«) belebt mir den einzelnen, den jetzigen, den heutigen Tag, indem es, Buch für Buch, jeweils von so einem erfüllten oder jedenfalls bestandenen oder von einem einheitlichen Lebensgefühl durchwehten Tagesgeschehen erzählt.

Dieses Geschehen, nach Meiers erzählter Lehre, setzt sich weniger zusammen aus Haupt- und Staatsaktionen, Heldentaten, gewaltigen Entschlüssen, Aufbrüchen als aus der stillen Festlichkeit, mit der sich die tagtäglichen Vorgänge, Abläufe, Wege, Handreichungen demjenigen zusammenfügen, welcher sie begleitet mit seiner Geistesgegenwart, seiner Bedächtigkeit, mit größtmöglichem Auge und Ohr, wodurch die Kleinigkeiten des jeweiligen Tags in einen Reigen geraten mit den auf solche Weise »reanimierten« aus den Erinnerungen, mit diesen gemeinsam auftanzend zum Weltentag, ebenso wie der kleine Hauch jetzt im Gras mittels Meiers Erzählspiralen immer wieder zum oft zitierten »Weltenwind« werden kann. Das Fest eines jeden friedlichen Tages – davon geben mir die Sätze Meiers einen Schein: das Fest des Besuchs eines Freundes, das Fest des gemeinsamen Redens, des gemeinsamen Spazierengehens, des Sitzens und Schauens, des Kaffeetrinkens, des Lesens, des Gemäldebetrachtens – aber auch schon die Festlichkeit des bloßen Lichts, der fließenden Bäche, des Blauens der fernen Jura-Kalkberge, des Nachtwerdens, des Sternaufgehens; das Fest, das Ereignis der puren Räume: »gut im Raum« erscheinen mir, und ich Lesender mit ihnen, die Menschen in den so belebend handlungslosen Büchern Meiers – so als sei das Ausschwingenlassen des Raums Handlung genug –, wobei es mir fast wie eine Regel vorkommt, es seien die Frauen sozusagen »besser im Raum« *allein*, die Männer dagegen *zu zweit*, als Freunde, und, auch anders als die Frauen (die sitzenden, innen, inmitten), als *Gehende*, außen, an den Rändern der Meierschen Städte und Dörfer.

Aber als das größte der offenbaren Geheimnisse vom *Schnurgeraden Kanal* über Die *Ballade vom Schneien* bis zum *Land der Winde* wirken auf mich Meiers immerfort ins Licht der Erzählung rückende Gestorbene. Diese sind gleichsam die Protagonisten, mehr noch, die Urheber der Meierschen und so auch meiner, des Lesers, Räume; ohne sie, die Toten, als Lichtumrisse auf den Straßen und Matten, als Festprozession dort, so wie als Hauch »hinter den Sternen«, erschiene nicht jenes größere Leben im Lauf unseres – zurück zum »Wir« – so unscheinbaren Alltags. Müßten wir also Meiers Erzählen übersetzen in einen sogenannten Lehrsatz oder, warum nicht für einmal?, in eine Maxime oder gar Parole, die gälte für das Beleben und Würdigen unseres von Verzweiflung, Stumpfsinn, Enge bedrohten Tagesablaufs, so wäre das am ehesten vielleicht ein »Zeit für die Toten! Ihr sollt euch Zeit lassen; innehalten; euch ins Leere wenden, um die Verstorbenen mitwirken zu lassen an eurem Tag!« Das ist die Meiersche Gewißheit, und sie wäre ein Ärgernis, stünde sie da als so eine feste Parole, statt, wie sie es Wort für Wort tut, dahinzuzittern in der Form der Erzählung. Auch als zitternde Erzählung ist solche Gewißheit natürlich ein Ärgernis – nur verschließt unsereinen dieses nicht, sondern öffnet, weiter und weiter, entsprechend den Spiralen seiner Sätze.

Brief an Iasushi Inoue

Tokyo, 14. März 1988

Sehr geehrter, lieber Herr Iasushi Inoue,
da es mir nicht möglich ist, Sie zu sehen, möchte ich
versuchen, Ihnen am Tag meiner Abreise aus Tokyo einen Brief zu schreiben. (Ich wollte Ihnen schon seit Jahren einen Brief schreiben, aus Österreich, welches mein
Heimatland ist.) Ich glaube, alle Ihre Bücher, die ins
Deutsche übersetzt sind, gelesen zu haben, und hier in
Japan habe ich noch drei Ihrer Erzählungen auf englisch
gelesen, von dem Bilderfälscher, dem Berg, wo die
Alten ausgesetzt werden, und vom »Vollmond«. – Das
Einmalige an Ihrem Werk ist für mich – die mir nächsten
Bücher sind *Das Tempeldach* und *Dun-Huang* –, daß
jede Geschichte eine Vision zeigt, und daß ich im Lesen,
anders als sonst Visionen in Büchern anderer Autoren,
der Vision immer folgen und ihr glauben kann: diese
Bilder sind von Ihnen erlebt, und Sie haben die einfach-
ste und luftigste Sprache dafür, die ich je gefunden habe.
Ihren Erleuchtungen *brauche* ich nicht erst zu glauben,
sie sind *da* im Buch, als Fakten: die Vorstellung, wie der
Bilderfälscher den weiten Weg zu seiner weggelaufenen
Frau macht, um ihr vom Tod des Malers zu erzählen,
und wie er das Feuerwerk in Gang setzt, mit gesenktem
Kopf, ohne selber sein Werk anzusehen; die junge
Witwe, die beim Anblick des Vollmonds plötzlich be-
greift, daß sie jemanden liebt; der Erzähler, der plötzlich merkt, daß es nicht seine Mutter ist, um die er Angst
hat bei der Vorstellung, sie werde ausgesetzt auf den

öden Berg, sondern daß er Angst hat um sich selber, er selber sieht sich ausgesetzt. – Es gibt noch einen andern japanischen Künstler, der mir so viel bedeutet wie Sie, lieber Herr Inoue: das ist der Filmregisseur Ozu. Aber Ozu ist nicht mehr am Leben, und ich kann ihm nicht danken. So danke ich Ihnen, und neben Ihnen, im Leeren, auch Ozu. Ich wünsche sehr, bald wieder etwas von Ihnen zu lesen. Einen schönen Frühling!

Eine andere Rede über Österreich

Vorausgeschickt sei, wie es zu dem Film »P. H. und die Polizei« gekommen ist: Nach dem nächtlichen Vorfall zwischen einer Streife und mir auf dem Salzburger Universitätsplatz, wovon weiter unten noch die Rede sein wird, war nicht ich es, sondern die Salzburger Polizei, die den Zeitungen gleich tags darauf ihre Version des Zwischenfalls lieferte, wohl mit dem Gedanken, mir, der aus dem Ganzen gar nichts machen wollte, von dem aber die Obrigkeit eine Reaktion befürchtete, zuvorzukommen.

Die Zeitungen berichteten also. Diese Zeitungsberichte brachten in der Folge die Redaktion des ORF-»Inlandsreports« auf die Idee, einen Film über das Verhältnis zwischen der Polizei und den Staatsbürgern, am Beispiel des Staatsbürgers P. H., zu drehen.

Ich wurde gefragt, ob ich, für einen solchen Film, zu einem Gespräch bereit sei. Ich sagte zuerst nein. Dann ließ ich mich überreden, durch das einleuchtende Argument der Redakteurin, es ginge weniger um meine Person als vielmehr um eine bezeichnende, aktuelle, jedermann im Staat betreffende Situation.

So kam es dann zu dem Bericht, der nicht meine Idee war, sondern zustande kam auf Vorschlag, Beschluß und Gutheißen der Abteilung des ORF, dessen Leiter jener Herr Rabl ist, der dann, als der Film gesendet werden sollte, den er selber veranlaßt hatte, diesen zurückzog »aus redaktionellen Gründen«.

Tags darauf las ich in den Zeitungen – benachrichtigt

von niemandem – die gleich nichtsnutzige Begründung, es hätten sich »neue Fakten« ergeben, und zudem erdreistete sich derselbe Mann, der den Film veranlaßt und das Material gutgeheißen hatte – es waren ja alle Parteien zu Wort gekommen –, mir, um von seiner eigenen Feigheit und Charakterlosigkeit abzulenken, meine staatsbürgerlichen Probleme mit manchen Ordnungshütern als meinen »Privatsport« öffentlich vorzuwerfen.

Ich frage mich, wozu ein solcher Mann Journalist geworden ist, und wie er die Stirn haben kann, in einem Beruf, dessen Hauptsache doch das Aufzeigen, Beschreiben und Kritisieren von öffentlichen Mißständen sein sollte, weiterzutun.

Ein solcher Journalist verdient nicht den Namen »Journalist«, er ist ein bloßer Sklave, ein Handlanger der Obrigkeit.

Und nun, um einiges gekürzt, aber weder entstellt noch entschärft, der Text, den ich, von der Reporterin gefragt, gesprochen habe.

Am Abend des 27. Februar, gegen Mitternacht, stand ich auf dem Salzburger Universitätsplatz, vor einer Telefonzelle, im Begriff, diese zu betreten. Im Abstand zu mir ein Auto mit laufendem Motor, dessen Fahrerin den Wagen für einige Momente verlassen hatte und zu den Marktbuden des Platzes gegangen war.

Ich hatte nicht in dem Wagen gesessen, besitze auch keinen Führerschein, kann nicht Auto fahren.

In diesem Augenblick kam ein Streifenwagen daher. Ein Polizist stieg aus und herrschte mich, ohne sich auch nur zu erkundigen, ob ich zu dem Auto gehörte, sofort an, den Motor abzustellen.

Es gibt das schöne Sprichwort vom Ton, der die Musik macht. Der Ton dieses Polizisten, der so blindlings wie zwanghaft annahm, nur weil ich in der Nähe des Autos stand, sei ich auch der Verantwortliche, ging mir nicht zu Herzen, sondern stieg mir zu Kopfe.

Ich sagte, er möge in einem anderen Ton mit mir reden. Darauf das wohlbekannte »Werd net frech! Deinen Ausweis!«

Das Du-Wort ist nicht immer ein Ausdruck von Brüderlichkeit. Der Kollege des Polizisten hatte mich inzwischen sozusagen erkannt und sprach: »Du das ist ja der ...«

Ich zeigte meinen Ausweis nicht.

Ein Wort gab das andere, wie man so schön sagt.

Die beiden Polizisten standen inzwischen so nah vor mir, daß ein ruhiges Gespräch gar nicht mehr möglich war; man kann nicht mit dem Weißen in den Augen eines Menschen sprechen.

Bei gesenktem Kopf – irgendwo mußte ich ja hinschauen – sah ich auch nur zwei Paar Lederstiefel, zwei Undinge. Es gibt eine menschliche Nähe, und eine unmenschliche, anmaßende Nähe, die keinen Abstand kennt. Ich bin ein empfindlicher Mensch, was ich für keine Schande halte; ich wünschte, alle wären auf ihre Weise empfindlich: So empfand ich diese Nähe der Lederstiefel, zusammen mit dem Weiß der Augen, vor allem durch das Ungerechtfertigte der ganzen Anschnauzerei, als Abbild all dessen, was für mich Menschenverachtung, Hölle, Gesichtslosigkeit bedeutet, und sprach das geflügelte Wort: »Ihr steht da vor mir mit euren Stiefeln wie Nazi-Bonzen.« Wohlgemerkt: Ich sagte nicht: »Ihr seid Nazi-Bullen!«, sondern:

»Nazi-Bonzen«, und gebrauchte das nicht als tatsächliche Anrede, sondern als Vergleich.

Darauf wurde ich festgenommen und auf die Wache gebracht. Die Atmosphäre dort war nicht gerade triumphal: Ich merkte an der versammelten Polizistenrunde, welche sich zusehends auffüllte, eine Mischung aus Haß und Angst: Angst, es mit einem »Notorischen«, oder »Berühmten« zu tun zu haben, und Haß, es diesem nicht zeigen zu können wie jedem anderen.

Die Angst vor mir – oder eher meinem Namen – steigerte den Haß, der Haß wurde noch gesteigert durch die Unmöglichkeit, mich, den Soundso, sofort niederschlagen zu dürfen.

Solcherart war die Atmosphäre auf der Wache, und sie war greifbar.

Tatsächlich angegriffen wurde ich nur einmal: als ich mich nicht setzen wollte, und als ein braungebrannter Ordnungshüter, gerade vom Skiurlaub zurück, mich auf einen Stuhl zwingen wollte, sichtlich nicht aus Sorge um mein Wohlergehen.

Meinen Ausweis zeigte ich noch immer nicht; denn alle Anwesenden wußten, welchen Verbrecher sie da vor sich hatten, der sich erfrecht hatte, in der Nacht auf einem leeren Platz zu stehen. Schließlich erbarmte sich ein Beamter und zog mir eigenhändig den Paß aus der Brusttasche.

Der ganze Vorwurf ist für sich geringfügig, ich und andere Staatsbürger haben mit unserer Polizei weit schlimmere Erfahrungen durchgestanden.

Ich habe, was mich betrifft, für immer vor Augen, daß ich nicht nur einmal, nach einer solchen Begebenheit, weinend heimwärts ging, nicht aus Wehleidigkeit, sondern aus Zorn, Trauer, Fassungslosigkeit über obrigkeitliche Niedertracht und Menschenverachtung. (Der Journalist Georg Nowotny hat über das ganze Problem »Polizei – Staatsbürger« im letzten Jahr beispielhaft geschrieben.)

In der fraglichen Nacht erschien mir die ganze Geschichte freilich, schon auf dem Heimweg, so possenhaft, daß ich lachen mußte. Jeder Umriß eines Vogels im Gebüsch erschien mir wirklicher als der ganze Vorfall. Ich dachte sogar: Das alles kann ja jedem passieren, ich bin noch glimpflich davongekommen, weil ich »derjenige welcher« bin.

Freilich zugleich der Gedanke: Spielen das Private und das Öffentliche ineinander, so entstehen die Parabeln, die Gleichnisse für unser aller Leben.

Zum Fall wurde der Vorfall, ich wiederhole es, durch die Angst der Polizei und die Gier der Medien: ich, von mir aus, wollte schweigen.

Und nun sage ich das, worauf es ankommt: Die Fernsehjournalistin fragte mich, was ich dächte zu den Sprüchen des Salzburger Polizeidirektors, betreffend den Film *Salò* von Pier Paolo Pasolini, jenes exemplarischen Polizeichefs, welcher in seiner Jugend der SS angehört hatte, und sich nun, reuelos, gedankenlos, gefühllos, stammtischselbstbewußt, über einen der großen Künstler dieses Jahrhunderts ausließ, einen Künstler, der mit Filmen wie *Accatone, Mamma Roma, Das Evangelium nach Matthäus*, sowie mit seinen Gedichten und Theaterstücken die Leidens- und Frohbotschaften dieses Jahrhunderts mitgeschaffen hat, so wie es sich für einen Künstler gehört – nun geschmäht von einem alpenländischen Folterknecht des unzählbaren Unreiches, der hier, jetzt, in diesem, in meinem, in unserem Staat in Amt und Würden sein darf, und der weder Amt, geschweige denn irgendeine Würde verdient.

Ich erklärte meine Empörung über das Vorhandensein solcher Gestalten in diesem Staat, sowie meine Wut, mit meinen Steuern das Stammtischgeblödle solcher Patrone begleichen zu müssen; wohlgemerkt: nicht der alten, liebenswerten, um die Demokratie Österreichs verdienten Pensionisten, sondern derartiger Kerle.

Dann kam ich auf das Verhältnis überhaupt dieses Staates, der Zweiten Republik, zur Zukunft.

Viele Arbeiter, viele Handwerker, viele kleine Bauern, diese und jene Krankenschwester, dieser und jener Arzt, auch wenn sie nicht lesen, auch wenn sie keine Gemälde betrachten, haben dennoch eine Ahnung, was ein Künstler ist, oder zu sein hat.

Aber ich kenne kein anderes Land in Europa, wo, durch die Zunahme der nichtsnutzigen, unbefriedigenden, unerotischen Berufe, das Kleinbürgertum so frech geworden ist, daß es sich erlauben kann, alles zu beurteilen und nichts zu achten.

Wie in keinem Land der Erde ist hierzulande das Wort »Künstler« zugleich als Schmähwort verwendbar.

Ich wünsche mir, so sagte ich, daß die jungen Polizisten in der Schule, wo sie doch wohl etwas lernen, auch einmal ein Bild von Rembrandt ansehen gehen – auch in Salzburg gibt es einen Rembrandt zu betrachten; daß sie über ein Gedicht von Goethe sich begeistern oder streiten, was ja oft auf das gleiche herauskommt.

Ich möchte einmal einen jungen Polizisten vor einem Bild von Raffael sehen, oder mit einem Buch von Adalbert Stifter in der Hand. Das würde in all diese gesichtslosen Gesichter endlich einen Zug bringen, einen Schimmer in die Augen, und wir wären Mensch und Mensch, Bürger und Bürger.

Schrecklich und verwunderlich auch, so sagte ich, wie weichlich, stereotyp so viele junge Polizisten wirken, ganz anders als jeder Zimmermann, Elektriker, Postler. Einen Bizeps haben sie wohl ausgebildet, doch ihre Gesichter sind säuglingshaft ungestalt, wenn auch ohne den Seelenblick von Säuglingen, kurz: schrecklich formlos. Ich gebrauche für die Mehrheit dieser jungen Leute mit Absicht ein verpöntes Wort: Sie sind *entartet*.

Ich bin im Lauf meines Lebens auch mit älteren Polizeibeamten zusammengekommen, vor denen ich Achtung spürte.

Sie haben durch Erfahrung gelernt, wie vielfältig und seltsam und erbarmungswürdig ein jeder Mensch ist, auch ein sogenannter Verbrecher.

Warum, zum Teufel, ist erst die Erfahrung des Älterwerdens nötig, daß eine Person den Respekt vor einer anderen gewinnt?

Polizisten, heraus mit euch aus der Gruppe, der Horde, der Meute; seid auch allein wie wir, bedenkt den anderen – wenn auch nur mit einem Blick!

Die Ausrede aus der NS-Zeit, als junger Mensch wisse man eben noch nicht, was man tue, man sei verführbar, usw., mag ich nie mehr hören. Schon mit fünf Jahren weiß ein Kind, was recht und was unrecht ist. Schluß mit der Ausrede von der Jugend als einer Zeit der Verführbarkeit. Kein Mensch ist von Natur aus ahnungslos und verführbar. Er ist *verantwortlich*, so wie er die Augen aufschlägt und seine ersten Sätze spricht.

Und jetzt die Polizisten beiseite, und zu der dringlicheren Frage: Wie ist es mit dem Selbstbewußtsein eines Bewohners dieses Landes bestellt? Wie steht er zu dem Land, zu dem Staat? Was ist sein Ort? Denn ohne Ort kein Selbstbewußtsein.

Tatsache ist: An der Stelle von Staatsmännern haben wir Staatsmännlein, und folglich sind wir kein Volk, sondern bloße Bevölkerung.

Ein Bundeskanzler, welcher sich als Freund der Künstler ausgibt, sagt im gleichen Atemzug, er, als Politiker, arbeite, schufte, während die Schriftsteller »sich in die Idylle zurückziehen, um einen Roman zu schreiben«. Demnach hat sich also Kafka in Idylle zurückgezogen, um den *Prozeß* zu schreiben; hat Camus sich in die Idylle zurückgezogen, um *Der Fremde* zu schreiben; habe ich mich in die Idylle zurückgezogen, um *Wunschloses Unglück* zu schreiben.

Dieser Satz des österreichischen Politikers Sinowatz, eines Kanzlers der Zweiten Republik, ist würdig, unter die dümmsten Sätze aufgenommen zu werden, welche seit der Nacht der Zeiten von Menschen mit Zungen im Maul gesprochen worden sind.

Wenig steht diesem nach die Ausrede des Verteidigungsministers derselben Republik, in der wir leben, er habe dem erbärmlichen, auch erbarmungswürdigen Herrn Reder kein »Empfangsessen veranstaltet«, sondern ihn lediglich, als Minister, das heißt Diener, der Republik »verpflegt« – Prachtwort in der ewigen Schlechtenliste der Dummheit.

Aber wir werden uns von solch machthabenden, geistfeindlichen Staatsmännlein nicht davon abbringen lassen, dieses Land Österreich zu lieben, und dieses Volk hier zu lieben, das heißt die vielen Vereinzelten, welche ohne Gruppenzwang leben, ohne Meutendrang, Zotenhang, Grinsgeselligkeit.

Denn hier, in Österreich, unserm, ja, unserem Land, haben wir die Augen aufgeschlagen: für die Wälder und das Wasser, und die Ohren gespitzt für den Wind, den Schneefall, die Lieder, die Gedichte, die Sprache.

Ein letztes Mal komme ich an dieser Stelle auf meine private Person zurück: Ich werde, was eine Obrigkeit betrifft, welche ihr Maß, ihre Bescheidung, ihren Auftrag, dem Volk zu dienen, nicht kennt, immer ein sogenannter »Querulant« bleiben.

Ich bin sicher, selbst mit 80 – sollte ich dieses Alter erreichen – wird wieder der Augenblick kommen, daß irgendeine Amtsperson mich anherrschen wird, und es könnte dann heißen, »der greise österreichische Schriftsteller P. H. zum dreiundzwanzigsten Male wegen Widerstand gegen die Staatsgewalt festgenommen«.

Schon ein paar Tage nach dem kleinen Salzburger Ereignis, auf der Heimkehr von einer italienischen Aufführung meines Stückes *Über die Dörfer*, sprach an der österreichischen Grenze der Kärntner Zollbeamte (es handelt sich also um keine Salzburger Spezialität), als ich für seine Begriffe eine Frage zu leise beantwortete: »Lauter! Sie sprechen mit einer Amtsperson!«

Das Blut stieg mir sofort zu Kopf. Und leider habe ich mich dann beherrscht. Beherrsch dich nicht! Schweig nicht!

So etwa meine Rede vor der Fernsehkamera, umgestellt, ergänzt, verlängert. Trotzdem spielt bei der Wiedergabe ein gewisses Bedauern mit, bloßes Lesefutter zu liefern.

Weit ergiebiger stelle ich mir vor, dies oder jenes meiner Bücher zu lesen, oder etwas von Georges Simenon, oder den jüdischen Talmud, oder die jüdisch-christliche Bibel oder ...

Da, als Leser, kann ich, eher als der Verschlinger von Nachrichten und Meinungen, endlich der »Zeitgenosse meiner selbst« (Rainer Maria Rilke) werden.

Gegenstimme

13. Mai 1986

Es ist in Österreich, anders als in fast allen europäischen
Ländern, nicht Tradition, daß die Schriftsteller sich in
die Tagespolitik einmischen. Den Ton zu solcher Ent-
haltung hat, etwa in der Mitte des neunzehnten Jahrhunderts, unser Nationaldichter Franz Grillparzer angegeben, mit dessen Ethos der Form die österreichische
Literatur wohl überhaupt erst beginnen konnte, der
freieste Geist des Landes, und zugleich der damaligen
Monarchie, dem Nachfolger des römischen Kaisers, ein
fast starrsinnig loyaler Bürger. Als er sich, während der
Freiheitskämpfe des Jahres 1848, doch einmal auf-
schwang zu sprechen (es blieb dann freilich nur bei
schriftlichen Ansätzen) und auf die Gefahren des Übermuts, der »Katzenmusik«, hinwies, begann er mit den
folgenden Worten: »Von allen Gebieten des menschlichen Geistes lag mir nichts ferner als die Tagespolitik.
Ich sage Tagespolitik. Denn die Politik der Jahrhunderte, welche man Geschichte heißt, und die Natur des
Menschengeistes, der sich gleich bleibt..., war das
angestrengte Studium meines nun siebenundfünfzig-
jährigen Lebens.«
So wird vielleicht verständlich, daß ein Nachfahr dieses
Künstlers, in vielem eine Beispielsfigur, ganz und gar
nicht selbstverständlich über ein bestimmtes Tagespro-
blem des inzwischen zweimal Republik gewordenen
Österreich schreibt, geschweige denn sich dazu gedrängt fühlt, sondern sich zu einer Einmischung gera-

dezu überwinden muß, so als sei das Politische einzig Sache der Politiker und der Journalisten, und die Künstler sollten, wie es ein durch seine Mediengewalt im Land zeitweise mächtiger Mensch einmal ausdrückte, »besser die Karotten in ihrem Garten beschreiben«. Dieser Rat ist zwar bedenkenswert (die Beschreibung einer Pflanze kann, gerade heutzutage, vielleicht einen größeren Weltkreis um sich ziehen als eine Kriegsreportage oder eine Parlamentsdebatte) – und trotzdem wird nun ein österreichischer Schriftsteller, wieder einmal, mit der Tradition brechen und seine Ansicht zu der Präsidentenwahl in diesem Land sagen. Und anders als Franz Grillparzer, der sich überwand mit einem: »Ich würde meine Pflicht als Bürger zu verletzen glauben, wenn ich nicht spräche«, beginne ich mit einem bloßen: »Ich *will* sprechen – und nicht als Schriftsteller oder Bürger, sondern im Namen eines Volkes, des wirklichen, so oft an den Rand gedrängten, kaum je gefragten, fast schon verstummten österreichischen Volks.«

Dieses österreichische Volk hat nämlich einen falschen Ruf. Es sei, so sagt man, opportunistisch, genußsüchtig, vergeßlich, unernst, unehrlich, leicht zu beeinflussen. Das mag zutreffen auf die Mengen, Gruppen und überhaupt Mehrheiten und träfe so wohl auch zu auf die Mehrheiten in nicht wenigen Ländern.

Aber gerade in Österreich erscheinen diese Gruppierungen seltsam sprach-, gestalt- und kraftlos. Die Kraft eines Volks geht vielmehr aus von den erstaunlich vielen Einzelnen, ja Vereinzelten, die schwierig sind, kindlich, unbestechlich, bedächtig, sanftmütig; dämonisch, skeptisch, lakonisch, Meister des treffenden Worts – zusammengerechnet ergäben sie, jeder für sich eine stolze

Minderheit, da bin ich sicher, die überwältigende Mehrheit.

Und dieses Volk, das einzige, das Dauer hat, soll nun ein Oberhaupt bekommen, welches ihm nicht entspricht. »Nicht entspricht«: Das liest sich vielleicht harmlos, meint aber das Äußerste, Schlechtestmögliche. Ein Bundespräsident Kurt Waldheim wäre, wie keiner seiner Vorgänger, eine pure Verkörperung jenes erwähnten Falschbildes vom österreichischen Volk; eine Spottgeburt; ein Wiedergänger aus Transsylvanien, in den Schulzimmern und Polizeirevieren ausgestellt als der Höchste im Staat; ein Sprachunfähiger, welcher das amtliche Sagen hat; ein Gedächtnisloser, der in seinen periodischen Ansprachen an die Bevölkerung mahnend gerade jenen einen Finger, verantwortlich für so viele »W.« unten auf menschenfeindlichen Dokumenten, heben wird; ein wenig Unbeteiligter, dem es im Bestfall gelingen mag, ein paar seinesgleichen zur Teilnahme an einem fälschlich so genannten »Volkslauf« aufzurufen, nie aber das österreichische Volk zu einem Schimmer von tätigem Mitleid, das heißt zum Erbarmen mit gleich welchen Opfern; ein Blickloser, der von seinen Staatsbesuchen in fremden Ländern unseren Fernsehzuschauern einzig das von seinem jeweiligen Pendant ihm gewidmete Doppelporträt heimbringen wird; ein Gehörloser, der von den Lippen der zur Audienz Vorgelassenen immer nur die paar ihm selber geläufigen Floskeln und Formeln ablesen wird, mechanisch nickend oder schmunzelnd bis über die beiden Ohren zu einem »Ich habe immer nur meine Pflicht getan« oder »Der Krieg war eben der Krieg«, dagegen zu einem »Ich habe Schreckliches gesehen« oder »Ich möchte von himmelschreiendem Unrecht erzählen« so überdrüssig wie begriffsstutzig die Achseln hebend und, schon halb Auge für den nächsten in der Reihe, sich so taub stellend, wie es vielleicht verständlich wäre bei einem abgestumpften Gefängnisschließer, nicht aber bei dem gewählten und vereidigten Anwalt eines freien Volkes.

14. Mai 1986

Ein Tag ist seit dieser Niederschrift vergangen, und es fehlt mir der Antrieb, das Begonnene systematisch und regelrecht weiterzuführen; vor allem wohl deshalb, weil der Gegenstand ein derart Worte abstoßender ist. Statt der versuchten strengen Folge also eine lockere; diese entspricht dem mangelnden Umriß der Gestalt.

Was an Konkretem ist gegen Kurt Waldheim eigentlich vorzubringen? Sind ihm Kriegsverbrechen nachgewiesen worden? Nein. Wir kennen nichts von Waldheim als seine zu Beginn des Wahlkampfes lückenhafte, dann, durch den Druck von außen, ergänzte und korrigierte Biographie, in der jedes neue Detail den »Lebensläufer als Hakenschläger« wieder zum Ergänzen und Verbessern zwänge.

Wir kennen von dem Bewerber um unser höchstes Volksamt nur seine Weise zu sprechen, und diese ist das einzige, wodurch er uns gegenwärtig geworden ist. Seine Vergangenheit, wie auch immer diese gewesen sein mag, hat ihre Gegenwartsgültigkeit durch seine Sprache von jetzt, und wenn wieder und wieder gefordert wird, die Vergangenheit endlich ruhen zu lassen, so können wir nicht darauf eingehen; denn die Sprech-

77

weise Waldheims, gerade sie, verhindert jede – sonst vielleicht sogar verständnisvoll eingeräumte – Verjährung. Waldheims Wesen, das unbekannte, sowohl dem Herzen als auch dem Verstand sich nicht mitteilende, verrät sich allein in seinen wechselnden Mund-Arten. Wir urteilen dabei gar nicht über das Einst, über seine Tätigkeit als Verbindungsoffizier im besetzten Jugoslawien, wo die heimischen Widerstandskämpfer, die Partisanen, im Jargon der widerrechtlich eingefallenen deutschen Armee »Banden« hießen; wir beurteilen den Sprecher von heute.

Dieser gibt das Bild eines Mannes, der, damals wie jetzt, ein Stratege des Wegsehens und Weghörens ist. Prinzip: Ich kann meine Hände in Unschuld waschen; denn ich weiß zwar, daß Verbrechen geschehen, aber als ein Zeuge komme ich nicht in Frage, weil es keine Dienstvorschrift gibt, nach der es Pflicht ist, ein Gedächtnis zu haben. Und wer wegschaut und weghört, hat das Recht, sich auf Sinnestäuschung zu berufen: Was in Wahrheit ein Schmerzensschrei war, durfte vom Weghörer mit einem Knacken im Aktenschrank verwechselt werden; was ein in den Transportwaggon getretener Jude ist, kann aus den Augenwinkeln ein Sack mit dem Mehlnachschub für die kämpfende Truppe sein.

Dieser Mann ist die Fleisch, Sehne und Knochen gewordene Sprachstarre. Dem gelernten Diplomaten, dem die Diplomatie ein und alles geworden ist, bedeutet ein gefühltes, bedachtes, das heißt persönliches, beseeltes Wort etwas so Fremdes wie ein Stück vom Mond. Die gespaltene Zunge ist sein Wappentier: Im Heimatland die Floskel von der »Verleumdung«; in der weiten Welt, als die entgegengesetzte Floskel, eine »Entschuldigung wegen Irreführung der Freunde in den USA«; und dann wieder in Österreich auf den Vorhalt dieser Floskel: In Amerika müsse man so reden; dort werde eine solche Sprache verlangt.

Und eine solche Mehrsprachigkeit, eine ungute, ja schändliche, wie sie wohl auch einem ordentlichen Diplomaten ansteht, soll nun die eines österreichischen Volksoberhaupts werden? Kein Wort haben wir von Kurt Waldheim in dessen wie immer beschaffenen eigenen Sprache vernommen; er spricht ausschließlich die eines Pedells der Konsularakademie, der sich, statt für den Hausmeister, den sicherlich nützlichen, für den würdigen Meister des Volkes hält; und solch ein eigenes Wort würde aus seinem Munde wohl so wundersam tönen wie ein Jodler aus einer leeren Strohgarbe.

Viele gibt es im Staat Österreich wie ihn, ohne einen Hauch von Persönlichkeit, ohne die leuteverbindende Sprachkraft, ohne Ausstrahlung, ohne den Glanz einer Tat. Sie leben unter uns in Frieden, haben ihre Zirkel und ihren Platz (der ihnen gegönnt wird), stolzieren in der Mitte der Promenaden, halten ihre Reden in den Cafés und ihren Hof in den Gastgärten – doch keiner von ihnen hat sich bis jetzt zugetraut, Sprachrohr und Mittler des Volkes sein zu können. Es sind die ortlosen Existenzen hierzulande, ohne Natursinn, ohne Kulturdurst, ohne Kunstbedürfnis. Sie sind die ewigen Lemuren aller Länder, unfähig zu irgendwelcher Verkörperung, weder einer Väterlichkeit, noch einer Gerechtigkeit, noch eines Schönheitssinns. Und kaum je war solch ein Mensch anmaßend genug, einem Volk vorstehen zu wollen – oder doch einmal, vor jetzt fünfzehn Jahren, als derselbe Waldheim, schon damals Kandidat, den unsterblichen Spruch tat: »Die Unterstellung, ich sei Nationalsozialist *oder gar Jude,* muß ich mit aller Entschiedenheit zurückweisen!«

Und doch: Kein Zorn wird verhindern können, daß Kurt Waldheim, der 1943 in Saloniki wohl nur weggeschaut haben kann, als die griechischen Juden – auf eigene Kosten! – mit »Kinder- und Gruppenermäßigung« durch ganz Europa in den Vernichtungsurlaub geschickt wurden; der sicherlich weggehört hat, als er im selben Jahr des Unheils den Funkspruch mit den dicht auf dicht folgenden Ausdrücken »Banden«, »Bandenzusammenziehungen«, »Bandentätigkeit«, »Bandenunterstützung«, »jüdisches Komitee als vorbereitendes Zentrum«, »Säuberungsunternehmen« aufnahm und »für die Richtigkeit der Abschrift« zeichnete mit seinem Namen »Waldheim, Oberleutnant«; der, mehr als 25 Jahre später, in einem anderen Land, 1968 in Prag, die Anweisung unterschrieb, die Zufluchtssuchenden abzuweisen – kein Zorn der Welt wird verhindern können, daß dieser Held am 8. Juni 1986 zu unserem Staatsoberhaupt gewählt werden wird als unser Gespensterkönig. Das Signum »W« werden wir von da an, wie auf den Aggressionspapieren des Krieges, wie auf den Abweisungs-Anweisungen für die Schutzflehenden des Prager Frühlings, auch auf den Staatsakten unserer Republik lesen müssen, nicht bloß als den Krakel des allerhöchsten Notars, sondern als das Mal des Dracula an einem dösenden Volkskörper.

Zu Beginn von Franz Kafkas *Prozeß* tritt ein seltsamer Mann in das Zimmer K.'s und erklärt diesen, »ohne daß er etwas Böses getan hätte«, für verhaftet. Dieser Eindringling – auf K. wartet, wie sich herausstellt, im

Vorraum noch ein zweiter – hat etwas Puppen- und Marionettenhaftes an sich, was sich vor allem daran zeigt, daß er auf die Fragen des Verhafteten nicht eingeht oder nur in dem Sinne des »höheren Auftrags«, des »Nicht-anders-Könnens«, und, bildhaft, daran, daß er einen Anzug mit vielen Taschen trägt, mit Knöpfen geschlossen von oben bis unten: Einen vergleichbaren Amtsdiener im tristesten Sinn, von Hals bis hinab zur Kniekehle zugeknöpft in einen absurden Auftrag, unberührt durch das Unrecht, mit Ahnungslosigkeit antwortend auf den Aufschrei, einen Lakaien und Verbindungsmann des Schergen und Henkers, werden die Österreicher, ein so eigensinniges, zartes, ironisches, höfliches, wie schwermütiges, wildes, haltbedürftiges, amoklaufbereites Volk, für die nächsten Jahre als ihren Repräsentanten thronen haben – oder, eher, als einen gespensterhaften Wort-Leiermann herumstehen sehen ... Ein Höfling – ohne Hof – als der *pater populi* ...

Zurück zu Franz Grillparzer. Er zitiert einmal in seinen Tagebüchern, beschäftigt mit Metternich, die wunderbare Brief-Schriftstellerin Rahel Varnhagen: »Aber Diplomaten sind das Gräßlichste in der menschlichen Gesellschaft. Der *Stand*. Diplomaten werden hart durch Weichlichkeit; und dies geschieht dem Henker nicht einmal. Visiten werden Pflichten ... *Keine* Meinung haben, und sie nur dadurch nicht äußern, wird Klugheit, Betragen genannt; und wird eine wahre Verhärtung der Seelenorgane.« Der Diplomat, der allzeit liebedienerische, lüge »aus Pfiffigkeit« und werde schließlich »vor Lügen dumm«, weil er »aus Lügenzwang« selbst daran glaube. – Und Grillparzer fügt mit eigenen Worten hinzu: »Der Diplomat in seiner vollständigen Ausbildung (ist) versatil aus Mangel an Grundsätzen und doch wieder beharrlich, aber nur aus Hochmut und Rechthaberei. Von Natur prinzipienlos, aber geschickt im Ergreifen der Umstände.« – Und weiter, auf Metternich bezogen, einen, bei allen Einwänden, doch so unvergleichlich gedankenreicheren, geistvolleren Mann als unseren Kandidaten: *»Da es (ihm) von Natur an Haltung gebrach, so war dieses Caput mortuum eines Systems willkommen, um den auseinanderfahrenden Bestrebungen eine Art Mittelpunkt zu geben ...«* – Und dann das Allgemeine, entwickelt aus solchem Besonderen: »Nichts wird in der Staatskunst und der Diplomatie so häufig verwechselt als die Verständigkeit und die Schlauheit. Sie unterscheiden sich darin, daß die Schlauheit nur das Gegenwärtige im Auge hat, indes die Verständigkeit das Gegenwärtige aus dem Vergangenen herleitet und die wahrscheinliche Zukunft nicht aus dem Aug verliert.« – Und am Schluß, wie in einer Vorwegnahme des Diplomaten Kurt Waldheim als Staatsoberhaupt, Grillparzers Charakterisierung des damaligen Volks-Oberen, des Kaisers Franz I.: »Er schätzte Künste und Wissenschaften, insofern sie einen zählbaren Nutzen bringen oder den Geist ausmöblieren, ohne ihn zu kräftigen. Philosophie, Geschichte und Poesie in höherm Sinn waren ihm ein Greuel. Seine Religiosität war Gewohnheit ... Wäre er selbst aus Staatsgründen über Nacht Türke geworden, so würde ihm am nächsten Morgen jeder für einen Aufrührer gegolten haben, der noch an Jesus Christus geglaubt hätte. Aus Mangel einer Vorstellung von der Würde der menschlichen Natur war er mißtrauisch gegen jedermann, und Angeberei war sein Schoßkind und seine Vorliebe ...«

Mag demnach der Wahlwerber Kurt Waldheim ruhig zum Kanzleivorstand im Büro für Geistesverhütung, Ausredenarchivierung, Vergangenheitsablaß, Gegenwarts-Sendestörung und Zukunfts-Sendepause bestellt werden – in Franz Grillparzers Lager, nur in seinem, ist Österreich! Mag die Paradefigur der Gewissensarmut ruhig von dem großen Haufen aufs Schild gehoben werden – am Abend des 8. Juni wird sich der Klang der Kirchenglocken, welcher auch immer, eher blechern anhören, ohne Widerhall, ohne Gegenwart, ohne Zukunft; ohne hinauszuschwingen in irgendein Land. Dafür aber werden vielleicht hier und da, in Stadt und Land, die ersten Leuchtkäfer des Jahres auffliegen; stumm; doch jeder Lichtpunkt für sich eine Gegenstimme.

18. April bis 8. Juni 1986

Ich hatte einen Traum. Ein Mann, zeitlebens erfolgsverwöhnt, den es trieb, schließlich auch noch zum Vorsteher des Volkes gewählt zu werden, bewarb sich um dieses Amt auf allen Plätzen des Landes mit dem Argument, in den Händeln der Welt wohlbewandert zu sein. Auf den Einwand, ob nicht gerade das gegen ihn in solch einem Amt sprechen könne, und eine Aufzählung einiger der Händel, in die der Bewerber verwickelt gewesen war, antwortete dieser, wie er es gewohnt war, mit den Formeln und Floskeln, die bei ihm, seit wann schon?, das Fleisch und das Blut ersetzten und sich zu einer menschenwürdigen Antwort verhielten wie das Knarren eines dünnen Astes zu einem Schmerzens- oder Freudenlaut.

Eines Tages aber, mitten im Auswendiggelernten, stockte er vor den laufenden Kameras, fand den Faden nicht mehr und verstummte. Langes Schweigen. Vor aller Welt brach durch die Schminke der Schweiß. Der Kandidat riß in Panik die Augen auf, und zum ersten Mal erschienen da Farben. Zum ersten Mal auch, das wurde jedem Zuschauer klar, stand vor ihm als ein Bild, wofür er einst, leibhaftig verwickelt, keinen Blick gehabt hatte. Wie sonst nur einem Opfer, dem sich das Himmelschreiende, mit allen Einzelheiten, für die Ewigkeit einprägt, wurde ihm gegenwärtig, was sich in der apokalyptischen Zeit, die sich ihm bis jetzt höchstens als »sehr ernste« dargestellt hatte, ereignet hatte und was, damals wie jetzt, sein eigener Teil daran war. Und wie ein Opfer wandte er sich nun ab und bat mit versagender Stimme, ihn nicht weiterzufilmen.

Aber dieser Gefallen konnte einem Bewerber um das höchste Staatsamt nicht erwiesen werden: Der einzige Beitrag jener Nachrichtensendung hatte von dem nun in Tränen ausbrechenden und minutenlang weinenden Herrn W. zu handeln – die einzige Nachricht des Tages, alle anderen verdrängend, war der bestimmte Weinende.

Dieser, nachdem er sich beruhigt hatte, atmete tief durch und hob zu sprechen an. Zur Wahrheit zu finden nach so vielen Jahren, das erlöste sichtlich nicht ihn allein, sondern griff auch über als Appell auf die Zuschauer im Land. Aus der Horde der Verstockten dort, den Ausredenmeistern gleich ihm, den Verkehrern der

Tatsachen, wurden Mitweinende, und diese erst, o Neu-
igkeit, durften »Volk« heißen.

Solche Reinigung aber konnte, und das war die Erkenntnis des Träumers, kein klagendes Opfer bewirken,
einzig ein trauernder Täter oder Zeuge. – Unnötig danach eine förmliche Verzichtserklärung: Der Bewerber
hatte ja aus sich selber erfahren, daß er der unwürdige
Vorstand eines Unvolkes geworden wäre.

Eine Art Würde, eine ganz besondere, wert, eingezeich-
net zu werden in die historischen Gedenktafeln, kam
ihm dennoch zu: Der erste verdächtige Zeit- und Grau-
enzeuge gewesen zu sein, der sich aufgeschwungen
hatte zur Mit-Verantwortlichkeit und so seinem Land
jene Wende ermöglicht zu haben, ohne die es vor der
Vergangenheit kein Entkommen gibt. Ich hatte einen
Traum ...

Kleine Rede über die Stadt Salzburg

Es gibt Lebensläufe, bei denen im großen und ganzen eintrifft, was durch Geburt, Herkunft und Umgebung vorgezeichnet ist. Das ist wohl, zumindest in einer Friedenszeit, die Regel. Daneben gibt es seltsame Leben, die man weniger »Läufe« nennen kann als »Sprünge«, »Versetzungen« oder »Fälle«.

So ein Fall bin vielleicht ich. Niemand hätte es sich vor einem Vierteljahrhundert träumen lassen, daß ein Kleinhäuslersohn aus einer Kärntner Grenzgegend eines Tages sozusagen in der Mitte der berühmten Stadt Salzburg stehen würde, zum Kulturpreisträger befördert. Damals, etwa Anfang der sechziger Jahre, kam ich zum ersten Mal hierher, auf einer Österreichreise meiner Maturaklasse. Wir übernachteten in einer Jugendherberge, von der ich heute annehme, daß es die im Nonntal war, in der Nähe des SAK-Platzes. Seinerzeit hatte ich freilich keinen Sinn für die hiesige Topographie. Getrennt von der Gruppe, in der Absicht, ein bißchen Atem zu holen, verirrte ich mich sofort, verwechselte, wie fast alle Fremden in Salzburg (und nicht selten auch die Einheimischen), die Himmelsrichtungen und fand mich an jeder Ecke vor einem Ausland, wie es mir später nicht einmal angesichts der Beringsee begegnen sollte. Das war mein erstes Bild dieser Stadt. Und wie es einem ergeht mit solchen Bildern: Es hat mich lange bestimmt. Obwohl ich im Lauf der Jahre hier hätte heimisch werden können, ließ sich der ursprüngliche Augenschein (oder das Vorurteil) nur schwer über-

Schuldeneintreibung

Man kann nicht leugnen, daß das jetzt ein zwiespältiger Moment ist: schwer, sich zu freuen; schwer auch, Genugtuung zu empfinden. Natürlich ist mir aus bekannten Gründen, die aber am heutigen Tag einmal eher verschwiegen sein sollen, geraten worden, den Österreichischen Staatspreis nicht anzunehmen.
Und ebenso natürlich nehme ich ihn an, einmal, weil mir, soviel ich weiß, der Preis von Künstlern zugesprochen wurde, zu denen es, bei allen Gegensätzlichkeiten, bis zuletzt eine Verwandtschaft und Brüderlichkeit geben wird, und dann, weil ich das mit dem Preis verbundene Geld als einen Bruchteil der Rückerstattung ansehe, was mir, dem vor dem Steuergesetz als selbständiger Unternehmer Eingestuften, der Staat im Lauf des letzten Jahrzehnts von meinem Schreib-Einkommen abgenommen hat, zum Teil selbstverständlich zu Recht, zu einem Teil vielleicht aber nicht so ganz: denn anders als die üblichen selbständig Gewerbetreibenden kann ich nicht viel mehr absetzen als Schreibwerkzeuge, die noch immer billig sind, und Arbeitszimmer.
Und es hat mich erstaunt zu hören, daß Leute, die nebenher Bücher schreiben, etwa Journalisten oder ausgediente Staatsleute, anders als ein freier Schriftsteller für die Bucheinkünfte in der Regel nur den halben Steuersatz zahlen – wenn das stimmt eine doch etwas verkehrte Welt, vielleicht nur in meinen verkehrten Augen?
Einmal habe ich die gutwillige Steuerberaterin eher

dringlich gefragt, was ich denn tun könnte, um, wie doch so viele andere Gewerbetreibende, mich zwar nicht zu »erweitern« (Gott bewahre), aber doch wenigstens etwas zurückzulegen. »Was tun denn die andern, die Autohändler, die Architekten usw.?«

Lapidare Antwort: »Schwarzarbeit.«

Nur ist die Schwarzarbeit für einen Schriftsteller nicht so einfach. Ein Buch schwarz veröffentlichen? Ein Theaterstück heimlich aufführen lassen? Die einzige Möglichkeit: anonym für Unternehmen deren Weihnachts- und Neujahrswünsche zu verfassen. Einmal habe ich das schon gemacht, für einen Tapezierermeister, und dafür Rabatt für eine Tapete bekommen, die sich schon bald wieder abgelöst hat, und im übrigen würden mir, sehr geehrte Unternehmensleitungen, Oster- oder Pfingstgrüße mehr liegen als weihnachtliche – aber dafür gibt es in der Wirtschaft wohl eher keinen Bedarf.

Was also tun? Ich kann nur das Finanzministerium bitten, mir vielleicht eine kleine Plakette zu schicken, auf der bei Knopfdruck meine Steuernummer und mein Steuersatz aufleuchten, sowie der nächste auf offener Straße an mir vorbeigeht, mit der schon oft gehörten Bemerkung: »Der Künstler da, der lebt doch nur von unseren Steuern ...« (Ich müßte dazu natürlich den österreichischen Akzent verwenden.)

Nun zur Abrechnung mit den österreichischen Medien, auf die ich, wie es sich versteht, Jahre sehnsüchtig gewartet habe:

In der Zeitung *Die Presse* wurde vor neun Jahren etwas abgedruckt, was ich über Franz Kafka geschrieben habe. Wo ist das Honorar geblieben? An dessen Stelle erwarte ich jetzt, trotz Verjährung, die Zusendung einer Sammlung von Bleistiften, Marke Cumberland, die schönen sechseckigen, die auch so gut riechen;

Kurier-Leute, vor zwölf Jahren habt ihr in eurer Zeitung einen Text veröffentlicht: keine Anstalten jemals zu einer Bezahlung: dafür jetzt einen Stapel von Farbbändern für eine Reiseschreibmaschine, schwarz-rot, Seide, nein, Baumwolle, Type 2003;

Kleine Zeitung, Graz: Vor ich weiß nicht mehr wie vielen Jahren habt ihr abgedruckt, was ich auf meinen Freund, auf den Dichter Alfred Kolleritsch, zu dessen Petrarca-Preis geschrieben habe: Ist es bei österreichischen Zeitungen üblich, daß ein Autor das Entgelt für seine Arbeit erst einfordern muß? Dafür nun: ein Pakken Schreibmaschinenpapier, weiß, dickblättrig – es muß nicht die bekannte steirische Hartpost sein;

Kleine Zeitung, Klagenfurt: Ihr habt, was ich vor vier Jahren zu meiner engeren – nicht engen – Heimat geschrieben und gesagt habe, ohne mein Einverständnis vom Tonband abgehört und dann abgedruckt, naturgemäß – wie Thomas Bernhard sagen würde – ohne Entgelt: Statt Naturalien an mich, bitte Aufruf in eurem Blatt zu Spenden für eine Gedenktafel in dem Kärntner Tal, wo die jüdischen Besitzer dessen enteignet wurden, was sich ein Politik-*Spieler* (kein Politiker!) unter den Nagel gerissen hat, der keine Scham kennt.

Schulden bei Künstlern sind, meine ich, mehr noch als Spielschulden, Ehrenschulden, und sie verjähren auch nicht; das steht zwar nicht im Bürgerlichen Gesetzbuch, aber in einem anderen.

Nun, indem ich kurz auf die Literatur und das Fernsehen komme, müßte es ernster hergehen, aber ich werde mich bemühen, leichthin zu bleiben. »Herr H. ...«, hat vor einiger Zeit zu mir ein Marktfräulein, einsam am Nachmittag in seiner Holzbude an der Franz-Josef-Straße in S. gesagt, »Sie sind überhaupt nicht mehr im Fernsehen. Alle sind im Fernsehen, nur Sie waren schon so lang nicht mehr da, wann endlich ...?« Das brachte mich auf der Stelle darauf, um einen Auftritt im Fernsehen anzusuchen, der mir dann auch gewährt wurde. Das letzte Abenteuer eines meiner Bücher mit diesem so allgegenwärtigen wie oft auch nützlichen Medium sei nun kurz skizziert.

In den Tagen nach der Sendung, angeblich über das Buch, gab es genau die drei folgenden Reaktionen: Ein Mann zeigte mir aus dem fahrenden Auto heraus den Vogel; ein Kellner fragte: »Sie waren doch neulich im Fernsehen? Eine Inszenierung in Wien, glaube ich?« (Als ich ihn gegenfragte, ob er bemerkt habe, daß es um ein Buch gegangen sei, fiel er mit der Antwort »Ach so« sichtlich aus den Wolken); und zuletzt bekam ich einen anonymen Brief eines »Achtundsechzigers« aus Wien – auch die sogenannte 68er-Generation schreibt inzwischen anonyme Briefe? – des Inhalts: »Wenn du in einem Wiener Beisl auftrittst, werden wir dich vom Podium herunterpfeifen.« (So war durchschaut worden, daß es mein sehnlichster Wunsch ist, in einem Wiener Szenebeisl aus meinen Büchern vorzulesen.)

Nicht zum erstenmal ist es der Büchersendung im ORF gelungen, ein Buch, das angeblich vorgestellt werden sollte, wegzuzaubern. Fauler Zauber! Immerhin paßte dazu der Titel des weggezauberten Buches, *Die Abwesenheit.*

Die Republik Österreich und wir Landes- und Landkinder, die nicht bei der Katholischen Jungschar oder bei den Roten Falken oder bei sonstigen Verbindungen waren: Für mich jedenfalls war es eine furchtbare Befremdung – die immer noch anhält –, das erstemal damals in Südkärnten als Schulkind die Wahlplakate zu sehen, wo eine Partei, auch im Bild, das Kohlenklaumonster, eine andere das Rentenklaumonster war, und ich möchte nicht wissen, wie viele Kinder heutzutage ein ähnliches erstes Bild von der Politik und den Parteien erhalten, die sie ab da mit dem Staat Österreich verwechseln. Aber das nur als Andeutung.

Und die Hauptstadt Wien ist für unsereinen ähnlich fremd. Ein slowenischer Freund in Kärnten hat mir einmal etwas Paradoxes gesagt: Er, als Slowene, würde lieber – eben nicht zu Jugoslawien, sondern zur Bundesrepublik gehören: denn die in Bonn würden sich besser um die sogenannten Minderheiten kümmern als die Politiker in Wien. Und ein junger Mensch auch von auswärts der Hauptstadt, nur da wohnhaft, hat mir einmal gesagt, Wien sei so fremd für ihn als Bundesländler, daß er hier, anders als daheim, noch nie im Supermarkt überhaupt daran gedacht habe, etwas mitgehen zu lassen; er wage hier nicht einmal das Schwarzfahren.

Ein letztes Ersuchen richte ich an jemand Anwesenden – Frau Unterrichtsminister –, mein Ansuchen ist folgendes:

Daß die Schüler nicht mehr gezwungen werden, sich über meine Bücher prüfen zu lassen. Ich möchte nicht mehr von halben Kindern und verzweifelten Müttern angerufen werden, damit ich ihnen für einen Lehrer meine Arbeit interpretiere, möchte auch nicht am frühen Morgen oder um Mitternacht einen aggressiven Halbwüchsigen von der Schwelle weisen müssen, der über etwas von mir, das er haßt, ein Referat schreiben soll – mag sich auch bewahrheiten, was jene Lehrerin, der ich das schon einmal nahelegte, mir triumphierend antwortete: »Wenn wir Sie in der Schule auch nicht mehr durchnehmen, dann liest Euch niemand mehr ...«

Es sei! Lassen wir es darauf ankommen.

Heute, am 20. April 1988, ist nicht nur der Aus-dem-Schoß-Kriechtag des Scheusals, das alle unsere deutsch-österreichischen Minderwertigkeiten in sich zusammenballte (es gibt auch andere Minderwertigkeiten), sondern auch der Geburtstag Adolf Schärfs und vor allem der von Künstlern, von Emmanuel Bove, Odilon Redon und Juan Miró, diese Geburtstage wollen wir feiern und noch andere von mir lieben Menschen.

Aber ich kann mir vorstellen, daß Sie jetzt schon ungeduldig werden, denn bei Politikern und bei Beamten wartet in der Regel im Nebenzimmer schon der nächste, der etwas will. Wenn es so ist, wollen wir ein jeder wieder in seine Richtung gehen, die einen zurück auf ihren glücklich errungenen Posten, die Künstler auf ihren eher verlorenen – wo sie aber auch manchmal recht glücklich sind –, in einer vielleicht gemeinsamen Hoffnung, einander an jenem dritten Ort zu treffen, wo die einen nicht mehr als Politiker und Beamte und die anderen nicht mehr als Künstler auftreten müssen.

Auf einem Gemälde von De Chirico steht eine Art Motto: »QUID AMABO, NISI QUOD RERUM META-PHYSICARUM EST?« – Was werde oder soll ich lieben, wenn nicht das Metaphysische?

Dem will ich nicht widersprechen, es nur abwandeln und erweitern: »QUID AMABO, NISI QUOD RERUM POETICARUM EST?« – Was soll ich lieben, wenn nicht das Poetische?

Und jetzt – wie heißt jenes Eurovisionslied? »Ein bißchen Frieden.« Zwar hat jener Spruch »Austria erit in orbe ultima – Österreich wird auf dem Erdkreis das Letzte sein«, eine seltsame Doppelbedeutung bekommen, episodisch jedenfalls, und es gibt einen anderen doppeldeutigen Spruch, der heute früh, was die Handballer betrifft, in der Zeitung stand: »In Österreich gibt's zu wenig Linkshänder«, aber ich weiß, wir können halbwegs froh sein, im Frühjahr 1988 hier in Wien, in Österreich zu sein, und dazu paßt ein ganz eindeutiger Ausspruch, den ich gestern an einem Tisch im Freien im Wienerwald aus Wiener Mund gehört habe: »In die Natur hinauszugehen ist das Höchste.«

Also.

Vom Übersetzen: Bilder, Bruchstücke, ein paar Namen

Für Fabjan Hafner zu seinem
Petrarca-Übersetzerpreis

Als ich zu lesen anfing, die kleingedruckten Namen der Übersetzer, von denen nichts sonst bekannt war, als ein magischer Zusatz zu den fremdländischen Romanen: Sigismund von Radecki (bei Dostojewski), Guido M. Meister (bei Camus), Georg Goyert (bei Joyce), Helmut M. Braem (bei William Faulkner), Helmut Scheffel (bei Michel Butor), Elmar Tophoven (bei Samuel Beckett, Alain Robbe-Grillet) ... Vorstellung dieser Männer: ernsthafte, von der Welt zurückgezogene, ganz im Dienst der Sache stehende, unsichtbare Würdenträger. Umso klangvoller für den beginnenden Leser die bloßen Namen.

Seltsames Zusammentreffen später: der Vermittler meines ersten Manuskripts an einen Verlag war ein Übersetzer. Der leibhaftige Mann entsprach ganz und gar nicht meinem Übersetzer-Bild: Statt ein schweigsamer bloßer Umriß zu sein, beherrschte er die Szene; nicht die Leisheit eines Dieners, sondern das Schmettern eines Kämpfers (und er hatte auch tatsächlich am Spanischen Bürgerkrieg teilgenommen).

Jahre danach als Gast bei einem Übersetzertreffen, wo die fremdsprachigen Versionen eines meiner Bücher durchgesprochen wurden. Die Übersetzer dann als Gruppe, die einzelnen gesichtslos, aber anders, als ich es mir einst vorgestellt hatte, zugleich würdevoll, doch anders als in meiner Vorstellung.

Im Lauf der Jahre dann freilich die Begegnung mit den einzelnen Übersetzern, Begegnungen auch mit Vereinzelten, darin selbstbewußt (kindlicher als die meisten andern Alleinarbeiter, kindlich wie wohl nur noch der und jener Schuster oder Schneider, wenn er aus seinem Hinterzimmer kommt, mit von seiner Kleinarbeit belebten Augen). Es waren Begegnungen, wo der Übersetzer, statt der großen des Schreibers, seine wohltuenden Kleinfragen stellte, zu Wörtern, Dingen und vor allem Orten: das Entscheidende, jedenfalls beim Prosa-Übersetzen, schien das richtige Wiedergeben der Erzähl-Orte, der Winkel, der Ortsbegrenzungen, der Übergänge zu sein. Mit diesen Fragen vergingen Stunden, die Autor und Übersetzer immer wieder als ein zusätzliches, gemeinsames Buch erlebten, worin Möglichkeit und Unmöglichkeit des Übersetzens von einer Sprache in eine andere, und schließlich das freche Fürmöglich-Erklären auch der Unmöglichkeiten, sich miteinander verbanden.

Eher zufällig, absichtslos, dann ein eigener Übersetzungsversuch: zwar einige Absätze nur, begonnen eher zum Spaß oder Zeitvertreib, aus Flauberts *Un cœur simple* (oder doch mit einer Absicht: eine Ahnung von dieser Tätigkeit zu bekommen, weil die Heldin einer geplanten Geschichte eben Übersetzerin sein sollte) – dann aber unversehens die Entdeckung: mit solcher Suche nach Entsprechung, in Wörtern, Strukturen, Rhythmen, nicht nur etwas nachzuziehen oder wiederzugeben, sondern etwas zu schaffen, ja, am Werk zu sein, und zwar Satz für Satz, Absatz für Absatz, stetig, ein Gefühl, das sich beim ursprünglichen Schreiben (oder wie man das nennen sollte) nur sporadisch oder im nachhinein einstellte. Müßte ich ein Verb finden für solches Tätigsein, es hieße »lichten«, oder »gliedern«, oder besser noch: »heben«.

Danach die Zeit, da man selber ein Übersetzer war. Nun konnte man von sich ebensowenig als von einem »Übersetzer« reden wie von einem Schriftsteller; höchstens, so wie »Ich habe geschrieben«: »Ich habe übersetzt«. Von derartigem Übersetzen, das fast immer meine eigene Wahl war und mit dem ich nie jemand anderm eine Arbeit wegnahm, habe ich mich in der Regel geschützt gefühlt – als hätte ich dabei so etwas wie einen Schutzmantel an. So wie ich mich an jenes »Heben« machte, setzte die Ruhe ein. Das eigene Schreiben konnte jedesmal neu von Ungewißheit begleitet sein, im Übersetzen nahm ich im Stuhl meinen Platz ein. Den Schreibenden sah ich manchmal als den eher unsteten »lover«, den Übersetzenden als den unbeirrbaren Freund. »I don't want a lover, I just need a friend«, so singt das Mädchen der Gruppe »Texas«, aber das könnte auch das Lied der vom Schreiben umworbenen Frau Welt sein. Für mein Übersetzen war es freilich die Bedingung, daß ich jeweils mit dem Text mitspielen konnte; diese Art Mitspielen, sozusagen unsichtbar, hinter der Bühne, erschien mir zeitweise als die gleichmäßigste, zudem am reinsten teilnehmende Lebensform. Möglichkeit und Paradox des Übersetzenden: Mitspielend, läßt er sich aus dem Spiel; er wird sein Selbstspiel los, indem er mitspielt.

Und dann, und jetzt, von den paar Übersetzenden, die ich kenne, Bilder bei ihrem Tätigsein, die sich aneinanderreihen und im Gedächtnis zu einem Zug werden, Augenblicksskulpturen aus Luft: der eine, eine ausführliche Skizze anfertigend von der Sache, die der Autor gemeint hat; der andere, nach einer langen Reise einquartiert in einem kümmerlichen Zimmer am Spielort eines Buchs, um da am Fenster stehend zu überprüfen, ob die Sonne zu Frühlingsanfang tatsächlich, wie beschrieben, zwischen jenen beiden Berggipfeln untergeht; noch ein anderer, bei jedem Verständnisstocken mit seinem schweren Kopf zum Bücherregal gehend und dort ausrufend: »Oh, Autor, was hast du da nur wieder verfaßt, dieser Satz, das kann doch nicht dein Ernst sein!«; und am Schluß geradezu ein Wappenbild vom Übersetzer: eine wie windschiefe Gestalt, die mit der einen Hand schreibt, das Blatt neben dem Original auf den Knien, und mit der anderen das schwerstmögliche Wörterbuch hebt oder gar über den Kopf stemmt, Skulptur einer bisher unbekannten, im verborgenen praktizierten Athletikdisziplin; die ägyptischen Schreiber, lässig im Schneidersitz, hatten es, zumindest dem Anschein ihrer Bildnisse nach, ungleich leichter als unsere Übersetzer in ihrer Grundfigur, der Verrenkung.

Übersetzen: im Zentrum des Geschehens; Schreiben: am Rand, mit dem fortwährenden Versuch, sich einem Zentrum zu nähern, das ungewiß bleibt – bleiben muß? Und dann, und doch: im Lauf der Übersetzenszeit, mit der selbstbewußten Vorstellung, sich im Aufschreiben, dem Fügen der Worte und Sätze immer nur stetig vorwärts zu bewegen, zugleich auch ein Bedürfnis, den Schutzmantel abzuwerfen, der zwischendurch ebenso ein Sklavenkettenhemd war; wieviel Kraft nahm das Übersetzen, das, anders als die ständige Verausgabung des unmittelbaren Schreibens, nicht als Schwade des

Neuen auf einen kommt; Bedürfnis, den gewissen Ort zu verlassen und sich auszusetzen dem Himmel-Hölle-Spiel des ursprünglichen Schreibens, mit dem luziferischen »Das bin jetzt ich!«. Bedürfnis, Sehnsucht? Drang? Trieb? – nach jenem triumphalen Selbstbewußtsein im Scheitern, statt immer nur der Verstehende, der auf das Spiel des anderen ideal Eingehende zu bleiben; Aufkündigung der sicheren Freundschaft für die Unbedingtheit des Wahnsinns der Liebe: weg, hinaus aus der Übersetzerheimeligkeit in die Wildnis des Schreibens, Tastens, Spurens, wo man »in seinem Element« ist, ein Element, das dem Übersetzenden doch fehlt, gefehlt hat? Weg mit dem sicheren gesenkten Blick auf das Vorhandene, das Buch, zurück zu dem Blick in Augenhöhe, wo vielleicht nichts ist, vielleicht aber auch hin und wieder nicht nichts. Mitten im Schreiben sind wir mitten im Tod, aber auch mitten im Leben, wie bei nichts sonst vielleicht. Also nieder mit dem Übersetzen? Vielleicht so: am Anfang und am Ende die unstete, zögernde Linkshändigkeit des Schreibens, dazwischen die stetige, ruhige Rechtshändigkeit des Übersetzens und danach, darüber, daneben, die Freihändigkeit des Nichtstuns.

Zu Walker Percy, ›Der Kinogeher‹

Die amerikanische Erstausgabe des *Moviegoer* erschien im Frühjahr 1961. Walker Percy war damals fast fünfundvierzig Jahre alt, und der Roman war seine erste literarische Buchveröffentlichung. Percys Arbeiten in dem Jahrzehnt davor bestanden vor allem aus philosophischen Aufsätzen für Zeitschriften wie *The Partisan Review* und *Commonweal*. Der Autor war freilich auch kein Fachphilosoph, sondern ein Arzt, der 1942, kaum im Beruf, an Tuberkulose erkrankt war und nach fünf Jahren Sanatorium nicht mehr praktizierte.

The Moviegoer wurde zunächst wenig beachtet. Doch der National Book Award 1962 trug dann in Amerika viel zu einer Wirkung bei, die nicht mit der Saison wieder verschwand, sondern auch jetzt noch, fast zwanzig Jahre später, machtvoll andauert. Ohne ein außerliterarisches Kultbuch zu sein, aber auch nicht einzuordnen in die amerikanische Romantradition, wird *The Moviegoer* von einem Leser an den anderen weitergegeben, als die geltende Geschichte, jenseits der aktuellen Ideologien oder Schreibtheorien.

Diese deutsche Übersetzung stammt von einem dankbaren Leser, dem der Moviegoer John Bickerson Bolling aus New Orleans / Gentilly über Jahre ein Wahlverwandter war. Eine Interpretation des Buchs könnte leicht »erbaulich« aussehen, was nach Walker Percy unserem Jahrhundert nicht mehr zusteht. Trotzdem will ich eine Phantasie nicht verschweigen, die im Lauf der Übersetzungsarbeit immer stärker und wärmer wurde: daß der Moviegoer wieder ein Held ist, wie er nach Camus' *Fremdem* kaum mehr möglich schien; und nicht nur ein Held, sondern ein Heiliger.

Zu Emmanuel Bove, ›Meine Freunde‹

Emmanuel Bove wurde am 20. April 1898 in Paris geboren, als Kind eines russischen Vaters und einer luxemburgischen Mutter. Seine Jugend verbrachte er in Genf, dann in England. Sein erstes Buch, *Mes amis*, geschrieben 1921, erschien 1924. Bis zu seinem Tod, 1945 in Paris, schrieb er noch etwa zwanzig, in der Regel nicht sehr umfangreiche, Erzählwerke, von denen einige erst posthum veröffentlicht wurden.

Bove wurde von Anfang an der Einfluß Dostojewskis nachgesagt. Der zeitgenössische Schriftsteller, mit dem man ihn am häufigsten verglich, war Julien Green. Aber schon Ende der zwanziger Jahre unterschied Louis Martin-Chauffier in der *Nouvelle Revue Française*: »Andere (ein Green zum Beispiel) unterwerfen ihre Figuren der eigenen Angst, Bove wartet ab, bis sie geängstigt sind, um dann ihr Elend zu teilen; er ist ständig verfügbar und betritt erst nach ihnen das Universum, das er ihnen öffnet.«

Nach seinem Tod wurde Bove vom literarischen Betrieb vergessen, nicht aber von seinen Lesern. Unter diesen waren bemerkenswert viele Maler und Zeichner: Pierre Alechinsky, Bram van Velde; Roland Topor (schon Maurice Utrillo hatte 1927 das Frontispiz zu Boves *Bécon-les-Bruyères* geschaffen). Diese Leser waren es dann, die 1977 eine Neuausgabe von *Mes amis* und *Armand* erreichten.

Das Aufsehen war groß; Bove erschien nicht bloß als der übliche »zu Unrecht Vergessene«, den man lauthals »entdeckt«, um ihn dann endgültig zu vergessen. Er war nie ungelesen gewesen, aber nun vervielfachten sich die Leser; *Mes amis* gibt es inzwischen als Taschenbuch. Der große Artikel in *Le Monde* fing so an: »Was Emmanuel Bove betrifft, so hat sich gerade ein Phänomen ereignet, das rar ist in der Geschichte der modernen

Literatur. Dieser Schriftsteller ..., nicht nur vergessen, sondern übergangen, dessen Namen in keinem Lexikon, in keiner Anthologie, keiner Literaturgeschichte steht ..., taucht unversehens wieder auf, mit einer Lebenskraft für die Ewigkeit.« Und die Überschrift zu diesem Artikel ist für viele gleichsam ein Losungswort geworden: »Avez-vous lu Emmanuel Bove?« (Haben Sie Emmanuel Bove gelesen?)

Ein Freund Boves, der Poet und Kunsthistoriker Jean Cassou, hat das Vorwort zu der Neuausgabe von *Mes amis* geschrieben. Unter anderem heißt es da: »Es ist recht schwer, die Beziehung zu bestimmen, die zwischen Bove und seinen Figuren bestehen könnte. Möglich, daß er selber einer von ihnen gewesen ist. Seine russische Abkunft wäre vielleicht die Begründung für eine solche Meinung, so wie übrigens die Diskretion, Einsamkeit und liebenswerte Ungeschicklichkeit, die von ihm ausgingen. Aber er war auch der Autor seiner Figuren, und es war wohl zu spüren, daß er sie kannte, sie betrachtete, sie beurteilte und sich folglich von ihnen unterschied. Und das zeigte sich in dem Lächeln, das oft in seinem schweren, ruhigen Gesicht erschien, ein maliziöses Lächeln, von einer tiefen und selbstsicheren Malice.« Und weiter schreibt Cassou: »Was den Leser, von *Mes amis* an, seinem ersten Buch, so getroffen hat, das ist der vollendet-friedlich objektive Tonfall, den der Autor anwendet, um die Geschichte zu erzählen, deren Autor er ist. Der Tonfall eines Schriftstellers, und eines großen Schriftstellers ... Eine Kunst, die nicht zurückschreckt vor dem Schock und dem Unbehagen, ausgelöst von einer solchen Präzision. Dieser Schock und dieses Unbehagen werden schließlich gar zu einer Art von Horror; denn all diese minutiösen Details von der Misère rufen nicht das Mitleid hervor, sondern den Horror.«

Aber schon mehr als ein halbes Jahrhundert vor Jean Cassou fand Rainer Maria Rilke, in einem Brief an Maurice Betz, den Übersetzer des *Malte Laurids Brigge*, folgende zwei Formeln für die Kunst Boves, anläßlich dessen *Visite d'un soir:* a) »plastisches Zögern«; b) »fruchtbare Zurückhaltung«. Und er fügt hinzu: »In meiner Jugend hatte man noch die Gewohnheit, sich die Handschuhe ›nach Maß‹ machen zu lassen; die Hand dem Handschuhmacher hinzuhalten war eine sehr sonderbare Empfindung. Bei der Lektüre des neuesten Buches von Bove ist mir diese ganze Erinnerung wiedergekommen, das körperliche Gefühl der den Berechnungen ausgesetzten Finger inbegriffen.«

Und in einem anderen Brief Rilkes an Betz steht im Postskriptum der Satz: »Bestellen Sie, bitte, meine Empfehlungen an Emmanuel Bove; ich trachte immer, ihm zu folgen ...«

Zu Florjan Lipuš, ›Der Zögling Tjaž‹

Die Geschichte vom Zögling Tjaž, der erste Roman des österreichischen slowenischen Schriftstellers Florjan Lipuš, ist 1972 im jugoslawischen Maribor erschienen. Im selben Jahr verfaßte Lipuš eine kurze Lebensbeschreibung, worin er weniger »sich vorstellen« als »die eigenen biographischen Daten mit der literarischen Arbeit synchronisieren« will. Die Zugehörigkeit zur slowenischen Volksgruppe in Kärnten, das aufgenötigte

Dasein in der Opposition, sei für das Schreiben eine treibende Kraft. Der deutsche Hochmut, der durch all die Jahrhunderte die Nachbarn, die Slowenen, hautnah bedrängte, habe diese in seltsame Wesen verwandelt, in denen nur noch die »drastische deutsche Peitsche« eine Eigenständigkeit erwecke. »Mein Bruder war zwei Jahre alt, ich sechs, als man die Mutter ins deutsche KZ Ravensbrück wegholte, wo sie im Krematorium verbrannte. Als Brandopfer des Dritten Reichs fordert meine Mutter, eine gesunde, 35jährige Frau, ihr Recht, dasselbe Recht, das wir heutzutage immer noch fordern, auch ich, jetzt 35 Jahre alt.« In der besonderen Geschichte der Kärntner Slowenen seien die Gründe dafür zu suchen, daß auch in seinem, des Florjan Lipuš, persönlichen Leben alles nur »mit Verzögerung« eintrete: und mit der entsprechenden Verzögerung erscheint nun erstmals ein größeres Werk eines österreichischen slowenischen Schriftstellers in deutscher Sprache, in einem Verlag seines ganz unverzeihlich gleichgültigen, schmählich ignoranten, wenn nicht feindlichen Heimatstaates. Und nicht mit Hochmut, sondern mit Stolz und Freude sei es gesagt: Hiermit geschieht, endlich, ein Anfang des geforderten Rechts.

Bei der Übersetzungsarbeit war es ein Ziel, ein wenig von der Eigenart der slowenischen Sprache weiterzugeben, die nicht die gewohnte Form des Imperfekts und auch kein Passivum kennt, dafür aber etwas bewahrt hat wie den Numerus »Dual«: wir zwei, ihr zwei, sie zwei schreiben, lesen, gehen usw. Slowenische oder Kärntner slowenische Redensarten (oft in den drei slowenischen Tälern, dem Jauntal, dem Rosental und dem Gailtal, verschieden) wurden nicht durch ein deutsches Pendant ersetzt, sondern möglichst wörtlich übertragen. Es steht dann also nicht: »Er liegt auf dem Bauch«, sondern: »Er liegt mit den Zähnen nach unten«. Oder: »Er ist zu den Krebsen pfeifen gegangen« – als Redensart für jemanden, der gestorben ist. Auch die Anspielungen auf regionale Sagen, Traditionen und Gegenstände wurden nicht eingedeutscht, sondern möglichst in ihrem eigenen Umkreis, ohne große Erklärung, gelassen. Und manchmal mußte auch sozusagen falsch übersetzt werden, um zu dem entsprechenden, dem getreuen Bild (oder auch nur der Ahnung) zu kommen. Denn die Bilder, eins aus dem anderen folgend, bewirken die Zugkraft des epischen Gedichts vom *Zögling Tjaž*.

Zu Emmanuel Bove, ›Armand‹

Der Roman *Armand* ist Emmanuel Boves zweites Buch, geschrieben drei Jahre nach dem Erstling des Dreiundzwanzigjährigen, *Meine Freunde*.

Armand erscheint zunächst als ein glücklicher Zwillingsbruder jenes Victor Bâton aus *Meine Freunde*, der vergeblich auf der Suche nach anderen Menschen war, mit denen er endlich glücklich sein könnte: Armand hat jemanden gefunden, eine Frau namens Jeanne, die ihn liebt und ihm sogar ein gewisses Wohlleben ermöglicht. Dann aber begegnet ihm eines Tages auf der Straße Lucien, ein Kumpan von früher, aus der Zeit der Armut und der Verlassenheit, und so beginnt die Geschichte eines haarsträubenden Verhängnisses. Verglichen mit *Meine Freunde*, wo der Held ja nie im Glück war, geschieht an seinem Bruder Armand sozusagen noch eine »Drehung der Schraube« zusätzlich – die sich freilich am Schluß, nur ein wenig, und doch, wunderbar, wieder lockert ... Man hat von den Sätzen und Absätzen Boves gesagt, sie hätten die Eigentümlichkeit eines Nō-Spiels. Das ist sicher richtig, und diese Mechanik bewirkt auch jene gleichsam vollständige Gnadenlosigkeit im Handlungsablauf von *Armand*. Warum aber ist das zuletzt siegende Gefühl bei der Lektüre dann doch, dank des Autors, das Erbarmen? – Boves Kunst besteht darin, daß es ihm gelingt, aus dem Verhängnisballett immer wieder auszuscheren, und in ein paar kleinen, unscheinbaren Sätzen, ein fast tonloses Lied anzustimmen.

Zu Georges-Arthur Goldschmidt, ›Der Spiegeltag‹

Der Spiegeltag ist die Geschichte eines fünfundzwanzigjährigen Namenlosen, der die Mansarde eines Waisenhauses in einer französischen Provinzstadt, unweit von Paris, bewohnt, und erzählt wird eben von der Namenlosigkeit dieses Menschen. Das erste Jahrzehnt seines Lebens hat er als das Kind, wie es scheint, angesehener, gutbürgerlicher Eltern in einer dorfähnlichen Kleinstadt der norddeutschen Ebenen verbracht. Diese Kindheit in der Villa mit Garten endet fast über Nacht: es ist das Jahr 1938, die Eltern sind auf einmal Juden, und sie schicken ihr Kind mit dem Zug nach Italien – Bestimmungsort Florenz –, um es zu retten. Florenz ist nur eine kurze Station; der bessere Unterschlupf für den Bedrohten ist ein kleines Internat in den Bergen des französischen Savoyen, wo der Heranwachsende während des Krieges versteckt bleibt. Immer wieder kommen die deutschen Besatzer in das abgelegene Haus, auf der Suche nach ihm. Diese Stunden, die er, gewarnt, allein im Wald abwartet, sind vielleicht die bestimmenden seines Lebens. Nach der Befreiung ist er ein Überlebender und ein Waise. Er spricht, auch mit sich selber, nur noch französisch; aber ist er ein Franzose geworden? In Deutschland, in seinem Heimatort, leben noch Verwandte. Er besucht sie, doch aus dem Besucher wird kein Heimkehrer. So lebt er dann, allein mit seinem Körper, der mit der Zeit sein einziger Ausweg wird, in einem nie recht vertrauten Frankreich, als älter werdendes »ewiges Waisenkind«, bis er, fünfundzwanzig Jahre alt, den Spiegeltag erlebt, der ihm, in der Wiederholung der Vergangenheit, seine Geschichte aufhellt, und damit auch ein Gesetz des Handelns. So ist er nicht mehr nur das Waisenkind, sondern sieht die Möglichkeit, sein eigener Ahnherr und Urheber zu werden. Der um die Kindheit Gebrachte holt diese jetzt selber nach, in Beschwörungen einer Landschaft: der deutschen.

Wo sonst gibt es Bilderfolgen von einem so wenig anrüchigen, so luftigen und unschuldigen Deutschland wie in diesem Buch, an dessen Helden der Gewaltstaat doch Unentschuldbares begangen hat? Und löst nicht gerade der Schmerz über eine weggeängstigte Kindheit dem Namenlosen die Zunge, und seine Sprache – die auch die Sprache der Erzählung ist – wird frei für ein neuzuentdeckendes Land?

Zu Gustav Januš, ›Gedichte 1962-1983‹

Für eine lange Periode seiner Geschichte war Kärnten ein Kernland des slowenischen (eines slawischen) Nationalbewußtseins und der slowenischen Kultur. In der zweiten Hälfte des neunzehnten Jahrhunderts, zur Zeit einer zunehmenden Desinteressiertheit in den beiden großen »transkarawankischen« slowenischen Städten Ljubljana (Laibach) und Maribor (Marburg) allem Eigenständigen gegenüber, wurde die »ciskarawankische« Kärntner Hauptstadt Klagenfurt (Celovec) sogar das Zentrum des slowenischen Sprachtums und entfachte so auch im Süden, jenseits der Karawanken, im heutigen Jugoslawien, neu ein Selbstbewußtsein. Nach dem Ersten Weltkrieg wurde der Großteil des Slowenisch sprechenden Kärnten, als Ergebnis der Volksabstimmung von 1920, zum Staatsgebiet der neugegründeten Republik Österreich. Zwischen den beiden Kriegen kam es geradezu zu einem Erlöschen der Kärntner slowenischen »Schriftlichkeit«: die meisten Angehörigen der Intelligenz waren emigriert, die wenigen im Land gebliebenen paßten sich, mehr und weniger freiwillig, den deutschen Herren an. Eine slowenische Kultur gab es in Kärnten drei Jahrzehnte lang fast nur als mündliche Überlieferung, zurückgedrängt auf das bäuerliche Land; Klagenfurt wurde zu einer beinahe ausschließlich deutschsprachigen Stadt. Aus der Epoche der nazistischen Despotie, wo zahlreiche Kärntner slowenische Familien ausgesiedelt oder auch in Konzentrationslager verschleppt wurden, sind praktisch keine Schrifttums-Zeugnisse dieser Volksgruppe erhalten; höchstens finden sich noch ein paar Verse einer Dörflerin am Vorabend ihres Todes im KZ Ravensbrück: »Dort vor dem Haus – mein lieber Garten! / Doch hier, doch hier – nichts als der Tod.« (Katarina Miklav)

Die Slowenisch sprechende Minderheit in Südkärnten hat dann nach dem Zweiten Weltkrieg, neben erstaunlich vielen bemerkenswerten Künstlern, zwei exemplarische Schriftsteller hervorgebracht: den Epiker Florian Lipuš, dessen Roman *Der Zögling Tjaž* 1981 auch in deutscher Sprache erschienen ist, sowie den Lyriker Gustav Januš. Januš ist Lipuš' Altersgenosse, vierundvierzig Jahre alt, und lebt als Lehrer in Rosenbach (slowenisch: »Podrožca«), am Eingang des Karawankentunnels, der südwärts in die jugoslawische Republik Slowenien führt.

Dieser Band sammelt Gedichte von Gustav Januš aus zwei Jahrzehnten, von 1962 bis 1983. Damit wird erstmals den deutschen Lesern in einem umfassenden Maße – nicht nur als Stichprobe – ein lyrischer Bereich zugänglich gemacht, welcher bisher eine eher vergessene und übersehene Enklave der Weltliteratur war. (Die Mehrzahl der in den letzten Jahren verfaßten Texte ist übrigens noch nicht einmal in der slowenischen Originalsprache veröffentlicht worden.) Exemplarisch werden die Gedichte des Gustav Januš dadurch, daß sie eine genaue Spiegelung, mitunter auch ein Vorgriff der Geschichte der slowenischen Völkergruppe in Österreich sind, nicht in Traktat- oder Berichtform, sondern in vollkommen unaufwendigen Bildern aus dem Alltagsleben, wie sie in der übrigen europäischen Literatur kaum vorkommen dürften.

Der Band bezeugt die bisherigen drei Perioden im Leben und Schreiben des Poeten Gustav Januš. In der ersten ist der Ton volksspruchhaft, ohne freilich naiv zu sein. In der zweiten gibt es eine sanft spöttische Wendung zur Satire hin, einen Versuch, einzugreifen in eine Politik, die gerne hätte, daß es im Staate Österreich nur noch ein einsprachiges Staatsvolk gäbe. Die dritte Periode, die bisher letzte und in dieser Sammlung am stärksten dokumentierte, bezeugt die zunehmende Vereinzelung des Sprechers, der dabei aber zugleich der Sprecher seines vom Verschwinden bedrohten Volkes wird: die Poeme werden zu Selbstgesprächen, Wechselreden zwischen der verschlüsselten Sprache der Träume und den immer kümmerlicher werdenden Alltagsfloskeln, insgesamt jedoch jeweils Aufschwünge der Sprache zeigend, die das der slowenischen Minderheit so oft abgesprochene Recht wie selbstverständlich neu schafft, durch Form.

Zu Emmanuel Bove, ›Bécon-les-Bruyères‹

Emmanuel Bove hat Bécon-les-Bruyères nicht erfunden. Die Pariser Vorstadt dieses Namens gibt es heute wie damals, samt der Bahnstation, wo sich, wie vor fast sechzig Jahren, die Linien nach Versailles und les Vallées teilen. Die Straßennamen sind nahezu dieselben geblieben: die rue Galliéni, die rue Tintoret (Tintoretto), die rue Madiraa (wo Emmanuel Bove gelebt hat). Diese rue Madiraa säumt die Schienenstränge und bildet so die Grenze der Asnières-Seite von Bécon-les-Bruyères. Die Grenze des Courbevoie-Teils, jenseits der Gleise, wird durch eine der wenigen inzwischen umgetauften Straßen gezogen: sie heißt nach dem im

Zweiten Weltkrieg ermordeten Résistanceführer Jean Moulin.

Bécon-les-Bruyères ist immer noch geprägt von seinem Bahnhof, alt und staubig, wo nun die neuen, farbigen, glasblitzenden Vorortzüge halten (oder auch durchbrausen). An einem Sommernachmittag, den ich da verbrachte, waren die Plätze zu beiden Seiten und die darauf zuführenden Straßen stetig belebt. Die Cafés und die Geschäfte waren voll. Die Züge aus Paris kamen tatsächlich herauf wie aus einer Senke und bogen zugleich, den Ortsnamen »Courbevoie« (etwa: Krummgleis) verdeutlichend, um die Ecke; dabei wurden, im Moment ihres Erscheinens auf dem Plateau, in der Schienenkurve ihre großen Frontscheiben jeweils aufgehellt von dem Himmel der Ile-de-France über dem Bahnhof. Es war der dreizehnte Juli, der Vorabend des französischen Nationalfeiertags, und zwei Arbeiter standen auf einer Leiter über der Bahnhofstür und brachten da die Trikolore an. Neben den Gleisen wuchsen sehr hohe lila und rosa Malven. Drei alte Frauen saßen auf einer Caféterrasse und bedachten laut, wie dieser und jener Nachbar von ihrem Tod erfahren könnte, »es wird stinken«. Im ersten Stock eines Hauses in der rue Madiraa stand ein Fenster weit offen, ohne daß von dem Zimmer etwas zu sehen war als die Hinterwand mit einer geblümten Papiertapete und der Schwarzweiß-Photographie eines schnurrbärtigen Mannes darauf, die, vergrößert und gerahmt, etwas von einem Ahnenbild hatte. Die Bäume im Bahnhofsbereich waren vor allem Kastanien und Linden, die, als ein leichter Sommerregen kam, zu duften begannen.

Bécon-les-Bruyères hat den Duktus einer Geschichtsschreibung; nur daß es nicht um Geschichte geht, sondern um einen Ort. Boves französische Sätze haben in diesem Werk, dessen Held kein sterblicher Mensch ist, sondern die – zumindest – langlebige Vorstadt, die Struktur der lateinischen Perioden des Historikers Livius. Die grammatikalischen Elemente der in der Regel sehr langen Sätze mußten beim Übertragen demnach oft regelrecht zusammengesucht werden. Nicht dieses Suchen natürlich wollte ich an den Leser weitergeben, wohl aber die es begleitende Spannung – jene das Überspringen verhindernde, verlangsamende Spannung, die von der Prosa Emmanuel Boves, und besonders von *Bécon-les-Bruyères*, ausgeht.

Zu Aischylos, ›Prometheus, gefesselt‹

Diese Übertragung des PROMETHEUS DESMOTES versucht so treu wie frei zu sein. Treu möchte sie sich, so weit es geht, der griechischen Wörtlichkeit zeigen: den Wortbildern, den Wortzusammensetzungen, den Wortwiederholungen. Frei mußte sie sich verhalten gegenüber den Versmaßen: dem iambischen Trimeter, dem Anapäst, den Daktylen usw. Alle meine Versuche, diese Rhythmen im Deutschen nachzuformen, führten, so schien mir, zu einer Glättung und zugleich Verzerrung der ursprünglichen Sprache des Stücks; einem Wort- und Wirklichkeitsverlust durch ein aufgezwungenes Nachfühlen. Trotzdem handelt es sich um keine Prosaübersetzung; denn ich habe mich bei der Arbeit immer in den Rhythmen bewegt, die Vers für Vers aus dem Verständnis der altgriechischen Syntax, dem Erlebnis des Bildes und dem Bedenken des Deutschen von selber anklangen. Diese Rhythmen brechen sich manchmal von Zeile zu Zeile; alle Versuche, sie auszugleichen, habe ich schließlich ebenso bleibenlassen wie das Nachahmen der Originalmetren; gerade das Gegenläufige – sofern es sich von selber ergab – entspreche, dachte ich, dem Urtext und trage dazu bei, sowohl die Sprache zu klären als auch den mythischen Sachverhalt, die beide das Drama ergeben.

Natürlich bin ich mir bewußt, wie fragwürdig es ist, ein zweieinhalb Jahrtausende altes dramatisches Gedicht heute neu zu übersetzen. Aber ich hatte schlicht Lust dazu – gerade heute –, und Freude daran, mit Hilfe archaischer Wörter archaische Dinge zu sehen, oder mir diese einzubilden, und mit Hilfe der Einbildungen meine heutige deutsche Sprache zu üben.

Zu Francis Ponge, ›Kleine Suite des Vivarais‹

Das Vivarais: ein dem französischen Zentralmassiv im Osten vorgelagertes Bergland. Francis Ponge, in den dreißiger Jahren kleiner Angestellter eines Pariser Pressevertriebs, hat in dieser Landschaft mehrmals mit seiner Familie den Sommerurlaub verbracht. *La petite suite vivaraise* gibt eine Bilderfolge davon, eine sehr eigentümliche Mischung aus nur so anklingenlassender Notiz und durchgeformter, sich geradezu in lateinischen Perioden entfaltender Inschrift. Die Suite erscheint in dem Werk des Dichters auch deshalb als etwas Besonderes, weil sie nicht ausschließlich, wie es doch sonst seinem Programm entspricht, von den Dingen handelt (»Stumme Welt, mein einziges Vaterland«), sondern auch von lebendigen Menschen: der rundlichen Madame Armand, der jungen Witwe Grousson, der »mit der sanften Stimme«, dem »mehlhäutigen Bäcker« und »vielen anderen mehr«. Von diesen Menschen des Vivarais, so deutlich sie auch hervortreten, werden freilich keine Geschichten, geschweige denn Anekdoten erzählt. Lebendig werden sie allein dadurch, daß Ponge einige ihrer Haltungen, Gesten und Farben wiedergibt, welche mit- und nacheinander, und zusammen mit den Dingen der besonderen Landschaft, eben die »kleine Suite« anstimmen. Es entsteht so eine Szenerie, in der auch das Historische, das französische Landleben einer Vorkriegszeit, mitschwingt und die immer wieder an die Theaterstücke von Marcel Pagnol oder die Filme von Jean Renoir gemahnt, ohne daß es freilich zu den da üblichen Handlungen und Verwicklungen kommt: die Szenerie für sich ist schon Erzählung genug – eine durch das Fehlen von Intrigen oder überhaupt Introspektionen sehr weite und luftige Erzählung, ein anmutiger, leichter Gestaltenzug aus Dingen, Tieren, Menschen und Licht. An einer Stelle vergleicht Ponge das so klar gestaffelte Hochland mit einem Gemälde: der kahle, blaue Gebirgshintergrund der Cévennen wirke »ebenso nobel und streng wie die Apenninen des Mantegna«, und der Vordergrund dazu sei wie von van Gogh – und ebenso imaginiert auch seine Suite solch ein Gemälde: die Dinge, in ihrer liebevollen Schilderung, haben etwas von den so zarten wie prächtigen Erdbeerpyramiden auf den Stilleben Chardins, und die angedeuteten, im Abstand gelassenen Menschenwesen bewegen sich daneben wie die in die Landschaft und ins Licht entrückten Reigenfiguren eines Watteau.

La petite suite vivaraise ist der einzige Text des Francis Ponge, in dem es sozusagen um nichts geht; anders als sonst sind die Gegenstände hier kein Problem: sie werden kurzerhand genannt und benannt, ohne daß, in immer neuen Anläufen, die ihnen entsprechende Form gesucht wird. Das letztere hat der Dichter, genau in dieser Gegend, erst drei Jahre später unternommen, schon im Krieg, am Beispiel des Kiefernwalds, welcher in der Suite bereits kurz vorgestellt und als Stätte der Besinnung gepriesen wird. Das Ergebnis ist das *Notizbuch vom Kiefernwald*, ein exemplarischer Text, welcher ein Drama zeigt: das zwischen Ding und Sprache – ein Drama in Gestalt eines Formproblems. Die *Suite,* sein Vorläufer, gibt sich dagegen ganz un-problematisch. Aber ist sie das wirklich? Und geht es in ihr wirklich um nichts? Woher nur die so sanfte wie heftige Wehmut, auf welche diese ganze kleine *Suite des Vivarais* am Ende hinausläuft?

Zu Franz Michael Felder, ›Aus meinem Leben‹

Was kann einem Leser des ausgehenden zwanzigsten Jahrhunderts die vor zwei Menschenaltern verfaßte Autobiographie eines Bauern aus einem entlegenen Bregenzerwald-Winkel in Vorarlberg bedeuten? Für mich war sie mehr als nur eine »interessante Lektüre«: Sie hat mir die eigene Kindheit gedeutet. Und mit »gedeutet« will ich sagen: Sie hat mich die Struktur einer Kindheit auf dem Lande erkennen lassen, wie sie nicht bloß vor hundertdreißig Jahren bestimmend war, sondern – man prüfe nach – auch heute gilt. Vielleicht ist schon der Ausdruck »Autobiographie eines Bauern« irreführend; Franz Michael Felder hat sein Leben nicht als Bauer, vielmehr als Schriftsteller beschrieben. Das heißt keineswegs, daß er sich wie einer vom Metier gibt, trickreich arrangierend, Knoten schürzend, Spannung suggerierend; im Unterschied etwa zu dem Waldbauernbub Peter Rosegger kommt er ganz ohne Schnurren, Anekdoten, Ausmalungen, Dramatisierungen aus. Andererseits erzählt er sein Leben nicht nur nach, wie es ihm in den Sinn kommt: Sein Erzählen, und das ist der schriftstellerische Instinkt Felders, drängt in jeder Episode zum Beispielhaften und bleibt doch – weiteres Merkmal seines Schriftstellerinstinkts – ganz bei der Sache. Aus der Episode wird so eine Phase, und die Gesamtheit der Phasen ergibt – nicht die Entwicklung (Felders Autobiographie ist kein Entwicklungsroman; dazu ist der Verfasser zu redlich, und deswegen ist sein Buch so unerhört), sondern eben die Struktur. Der Unterschied zwischen dem Arrangieren des Romanciers und dem Strukturieren des Erzählers: Das Arrangement ist vorausgewußt, die Struktur (die Beispielkraft) wird dagegen erst erforscht, mit Hilfe des Erzählprozesses, in welchem das Beispiel nie im vorhinein feststand – es gab nur jenes Drängen hin zu ihm. Und dieses Drängen ist bei Felder, ein weiteres Merkmal seines Künstlertums, erotisch. Er erzählt werbend, wirbt um einen Gegenstand (eine Landschaft), ein Gegenüber (einen Menschen), ja auch um sich selber. Und er ist mit seinem Werben – sonst wäre er kein Künstler – nicht auf Eroberung aus, sondern auf Gerechtigkeit.

Das offene Auge für die Gegenstände; der Erkenntnis-Abstand (das »o Mensch« wie auch die gleich blinde Menschenverachtung so meidend) zum Gegenüber; die fruchtbare, das heißt strukturierende Selbstkritik, und schließlich die dem allen sanft entsprechende, das alles erst setzende, verbindende Sprache: das zusammen ergibt die gerechte Form. Solche gerechte Form wäre freilich noch nicht ganz das mich nicht bloß ertappende, durchschauende, sondern mich zuletzt auch *erkennende* Kunstwerk *Aus meinem Leben*, als das ich Felders Autobiographie empfunden habe. Zu diesem wird es erst – letztes Merkmal des Künstlers Felder – durch das in jedem Satz wirkende Ideal, welches niemals definiert wird, vielmehr wiederum rein instinktiv bleibt. Der Erzähler dekretiert es an keiner Stelle; aber wohl umschreibt er es; umreißt es; läßt es kräftig ahnen. Ja, ich habe Franz Michael Felders Lebenserzählung gleichsam in Paragraphen lesen können, als ein Gesetzeswerk, so umsichtig und weitgespannt, daß es keine Novelle braucht.

Zu den Erzählungen von Johannes Moy

Die Erzählungen des Johannes Moy scheinen zunächst aus einer anderen Zeit zu kommen, sowohl in ihren Themen als auch in ihrer Sprache. Sie handeln in der Regel von Begebenheiten, die, wie ihr Chronist eingangs oft ritualhaft erklärt, längst vergangen sind, in Gefahr, vergessen zu werden, und gerade deswegen nach einer Aufzeichnung verlangen. Und die Geste der Sätze ist dann, noch deutlicher vielleicht als die eines

Chronisten, die eines Gedenkenden: eine höchst eigentümliche, sonst wohl nur in der deutschsprachigen Novellistik des neunzehnten Jahrhunderts, bei Adalbert Stifter und Theodor Storm, anzutreffende Einheit zwischen Abstandhalten und herzlicher Anteilnahme, was zusammen das Weiträumige, das Dichterische der Prosa Moys ausmacht.

Die scheinbare Gegenwartsferne rührt schon von den Orten der Handlung: einem Vorkriegszug, einem entlegenen Dorf, einem noch mehr entlegenen Bergbauernhof, einem handwerklich betriebenen Gußwerk. Obwohl es die Welt unseres Jahrhundertbeginns und der Zwischenkriegszeit ist, die Johannes Moy darstellt, wird sie durch seine Augen und Satzfolgen zu einer vorgeschichtlichen oder mittelalterlichen, bevölkert allein mit Handwerkern, Bauern und Adeligen, welch letztere, wenn sie die Helden sind, oft selber wiederum Bauern oder Handwerker sind (wie im *Nachruf auf Bernhard Thennheim*). *Tausend Jahre sind wie ein Tag*, das ist der bezeichnende Titel eines Prosastücks.

Wie aber kommt es, daß derart längst verschollen geglaubte Szenerien und Figuren dennoch so sanft und klarumrissen einrücken in unsere Gegenwart? Daß ein heutiger Leser in dem Bild vom »Kugelspiel« – die Kugel an der Schnur, einen Zeitbruchteil in Gefahr, an ihrem Ziel, dem Becher, vorbeizufallen – jene Momente im eigenen Leben veranschaulicht sieht, da sekundenlang seine ganze Existenz, sein Platz in der Welt, sein Bewußtsein von sich selbst auf dem Spiel standen? Wie kommt es, daß auch ein heutiger städtischer Leser das Bauernkind Martin Bauregger aus der Lawinengeschichte, welches alles, was es für sich allein erlebt, trennend und bedrückend empfindet und deswegen so bald wie möglich davon erzählen will, erkennt als seinen seinerzeit übersehenen Schulgefährten? Daß in der geizkranken Frau des Schmelzwerk-Besitzers, welche von Raum zu Raum neben den vollbepackten Arbeitern hergeht und ihnen das Licht ein- und ausschaltet, ihm eine gar nicht so entfernte Verwandte erscheint? Daß ihm der merkwürdige Mr. Blunt, mit seinem auf die Sekunde festgesetzten Tagesablauf, sich von einer vertraut geglaubten Karikatur in einen ganz anders vertrauten Zeitgenossen verwandelt? Daß er aus dem sizilianischen Knaben, der nach Frankreich will, weil er die Ritter und die Paladine, den Kaiser Karl und den König Artus für Gegenwart hält, sich selber herausliest?

Ein paar mögliche Erklärungen für solche Wirkung der Prosa Johannes Moys: die Lakonie, rhythmische Anmut und Feingliedrigkeit des Stils; die Meisterschaft im Entwerfen der Handlungsorte, wodurch selbst ein abgeschlossenes Alpental sich zur Weltlichtung öffnet; und insbesondere, so scheint mir, die so anschauliche wie liebevolle Schilderung reiner (»einsilbiger, natürlicher«) Kinder und Heranwachsender, welche eben deshalb dem frühen Untergang geweiht sind – gipfelnd in dem *Nachruf auf Bernhard Thennheim,* einem Kaspar Hauser, wie er wohl immer wieder neugeboren wird. In solchen Passagen von geheimnisvollen Wilden und Eingeborenen inmitten unserer Zivilisation gibt es für Moys Kunst keinen Vergleich. Hier ist sie, ohne je zur Psychologie zu verderben, poetische Anthropologie, poetische Menschen-Studie.

Studie: Aus mancher hätte vielleicht tatsächlich so etwas wie ein Roman werden können. So riet es dem Autor jedenfalls seinerzeit Katharina Kippenberg, der die Erstveröffentlichung des *Kugelspiels* im Insel-Verlag zu verdanken ist. Dann aber brach der Krieg aus, Johannes Moy wurde Soldat und schrieb keine Prosazeile mehr. Im Nachkrieg, bedingt durch eine weitausgreifende, fordernde Tagesarbeit, entstanden nur noch historische und kunsthistorische Abhandlungen. Der Fünfundachtzigjährige, im Rückblick auf den Dreißig- und Vierzigjährigen: »Dabei wäre die Prosa meine Sache gewesen.« Auf die Frage, ob es ihm weh tue, nicht weitergeschrieben zu haben, die ruhige Antwort: »Ja, es tut mir weh.«

Zu Georges-Arthur Goldschmidt, ›Die Absonderung‹

»Unvergleichlich«: ein oft gebrauchtes und fast genauso oft mißbrauchtes Wort für ein Menschenwerk – aber in dem Fall dieses Buches, *Die Absonderung*, scheint es einmal am Platz. Es gibt kein vergleichbares Buch in der wunderbar langen Geschichte der Bücher, nicht einmal Karl Philipp Moritz' *Anton Reiser*, der zwar mit dem namenlosen Helden Goldschmidts, neben der Grundsituation der Ausgesetztheit und der Heimatvertriebenheit und dem Lebensalter, viele Handlungs- und Leidensmomente gemeinsam hat, nicht aber das Zentrum, welches in der *Absonderung* der Körper ist, der eines Heranwachsenden – der eigene Körper, nicht nur als Zuflucht, sondern als, gerade in den ärgsten Züchtigungen, ununterwerfbare, unzerstörbare Bastion – anderes noch als Heimat: Reich, geheimnisvolles. Einmalig wirkt auf mich diese Erzählung freilich mehr noch durch ihr stetiges Umspringen; entsprechend jenen Umspringbildern, die mit jedem neuen Blick eine andere Möglichkeit zeigen, wird *Die Absonderung* mir Leser von Anfang bis Ende zum Umspring-Buch. Noch nie habe ich solch jähes Wechseln von Ferne und Nähe gelesen, von den luftigen Horizontfarben zu den schweren Fleischfarben, von den Landschaftsformen, gestaffelt mit ihrer Hilfe die Erde als äußerstweite Himmelsgegend, zu den handnahen Rundungen, Schründen, Striemungen des Menschenleibs, konvulsivisch, chaotisch, durcheinander, verzerrt, wie sozusagen am ersten Weltentag, und wieder zurück zum Blau der Ferne, den Durchlässen, Paßhöhen und Furten im Mittelbereich, dem (trügerischen?) Grünen und Blauen von Erde und Äther, denen wiederum regelmäßig das Zusammenzukken folgt, im Innersten des Körpers, in der Todesangst, der Bestrafung, der Flucht, des Sich-beiseite-Schlagens – eben der »Absonderung«. Einmalig dabei auch die Sprache der Erzählung: Bei allem Umspringen, Zusammenzucken, Umfärben, Verformen der Bilder ein merkwürdiges Gleichmaß der Sätze und Absätze, ein stetiger Sprachfall, bei all der Abruptheit der Erscheinungen und deren plötzlicher Verflüchtigung. Goldschmidt hat so etwas wie ein Traumbuch geschrieben: in dem Sinn, daß er für Situationen und Ereignisse, für die es bis dahin noch keine Sprache gab, wie somnambul, planlos, vorsatzlos, dafür um so klarer und unmittelbarer eine solche – nicht findet, sondern einfach hinsetzt. Ja, vergleichbare Bücher schreibt manchmal der Träumer – nur ist hier beim Erwachen das Buch da, vorhanden, zur Hand: eher als ein »Traumbuch« vielleicht also das Zeugnis eines so ausgedehnten wie beengten Traumwandelns, eines jahrelangen, voll des Schreckens und des Staunens, der Raum- und Zeit-Sprünge, der fahlen Labyrinthwelt des ewigen Kriegs und der weiträumigen Farbenwinkel eines episodischen Friedens. Traumbuch; Zeugnis eines Traumwandelns; oder: *das Buch als Findling.*

Fragment zur Heiligen Schrift

Seiner Form, seines Rhythmus, seines Tonfalls nach: ein Buch aus der Nacht der Zeiten. Das trifft zu, und zugleich kann der Leser unserer Tage, der von heute, in der Bibel, Buch für Buch, seine eigene Geschichte lesen, wie in keinem anderen Buch: er kann sie da entdecken, dann sie verstehen, dann sich ihr stellen. Der Leser ist der tragikomische Held aller der biblischen Geschichten; nicht bloß der Geschichten, sondern auch der Liebesgedichte, wie im Hohenlied, und der Hilferufe, wie immer wieder in den Psalmen. Du, Leser, hast den ersten Farbenaugenblick gelebt in Eden, und du wirst jene schwarzen und schwärzeren letzten Momente erleben, dein Mund voll Essig (und Ärgerem), wo du aufschreien wirst mit der Frage, warum dein sozusagen allmächtiger Vater dich verlassen hat. Deswegen ist die Bibel für den Leser ein entsetzliches, gefährliches Buch: er ist gezwungen, zu sehen, wie es, in der Tiefe, mit ihm steht, dem Sterblichen. Verlorener Sohn, der sich in Sicherheit fühlt, weil ihm der Vater für einmal verziehen hat – ihm sogar ein Fest bereitet hat. Aber danach, auf dem Kreuz, wo ist er, mein Vater und sein versprochenes Fest? Die Bibel kann in ihrem Leser das äußerste Grauen erwecken: ah, dieser Verrückte, der sich für Gott hält, unsterblich; dieser Wehleidige, welcher in den Bedrängnissen sich vor seinen Widersachern brüstet mit der Allmacht seines Vaters, und daß der ihm gleich zu Hilfe kommen wird; dieser sogenannte Gottessohn, der krepiert unter Geheul wie ein herrenloser Hund – das alles, das bin ich selber, ich, der das liest. Du, der heutigen Tages die Bibel liest: Achtung, Todesgefahr! Oder Lebensgefahr? Beseelende Gefahr? Begeisternde Gefahr, seit jener Nacht der Zeiten? Heilsame Gefahr? Heilsgefahr?

Einwenden und Hochhalten
Rede auf Gustav Januš

Lieber würde ich die Maultrommel schlagen oder die Mundharmonika blasen als über Literatur reden. Und lieber würde ich über Literatur reden als über das gegenwärtige Geschäft, den gegenwärtigen Umgang, den gegenwärtigen Handel mit der Literatur. Aber gerade von dem Letzteren soll aus Anlaß der Verleihung des Petrarca-Preises 1984 an den österreichischen Dichter slowenischer Sprache, Gustav Januš, auch einmal die Rede sein. Ich schwinge mich also auf und beginne meine Ehrung des Poeten – denn diese soll bei allem doch die Hauptsache sein – mit einer kurzen Beschreibung meiner Sicht der gegenwärtigen deutschen Literaturszenerie.

Ich sehe dort, wo einmal vielleicht Leidenschaft, Liebe, Erschütterung, Ernst, Zorn und heiterer, genauer Streit spielten, ein finsteres, jämmerliches, schamloses, beschämendes Geschiebe, Gedränge und Gerempel von Machthaberei, Schlagworten in jedem Sinn, Begriffe-rücken, Spiegelfechterei, Spitzfindelei – mit einem Wort: den so totalen wie totalitären Vordergrund, welcher nicht einmal beklagenswert ist, bloß zu verachten. Die Verachtung freilich sträubt sich gegen den Ausdruck, drängt zum Verschweigen und will doch nicht tatenlos bleiben: das ist ihr und das ist mein Problem. So sind die nun folgenden Worte ein Tatversuch.

Ich habe gerade das Wort »totalitär« gebraucht. Zuvor erschien auch das Wort »spielen«: es hätten vielleicht einmal im Reden über Literatur, Leidenschaft, Liebe undsoweiter gespielt. Eine der Gewohnheiten nun des heutigen Feuilletons ist es, die unterdrückten, verfolgten, zum Schweigen gezwungenen Künstler in den totalitären Staaten jenen in den sogenannten freien Ländern gegenüberzustellen. Um kein Spielen handelt es sich da, vielmehr um ein bloßes Ausspielen. In der sogenannt freien Welt geht es, jedenfalls was die Literatur betrifft, auch totalitär zu, wenngleich auf eine andere Weise als in der augenfälligen Kerkerwelt. Die Verfolgung, die Unterdrückung, die Korrumpierung, das Mundtotmachen, das Totmachen von Schriftstellern geschieht hier – ich kann nicht sagen: »bei uns« – nur heuchlerischer, heimtückischer, gauklerischer und, wenn sich das Wort steigern ließe: faustrechthafter. Fast tagtäglich nimmt es sich in der Zeitung, welche sich so viel darauf einbildet, der Literatur einen besonderen Raum zu geben, ein junger oder alter Wicht, der weder ein so schönes Wort wie »jung« oder »alt« je verdienen wird, heraus, mit ein paar vollkommen vordergründigen, Satz für Satz durchschau- und vorhersehbaren Standardkniffen ein Buch, wie es auch sei, in ein Nicht-Buch zu zerkrümeln, vergleichbar mit einem Kerl, der, ohne zu wissen, was er tut, ein Stück Brot zerkrümelt, bis es nicht mehr Brot ist, und dafür auch noch bezahlt und dafür vielleicht auch noch in seiner Abendkneipe belobigt wird: »Den hast du aber prachtvoll fertiggemacht!« »Ein angerissenes Streichholz genügt, den Strand anzuzünden, an welchem gerade ein Buch umkam«, steht bei dem französischen Dichter René Char. Hört auf, von der Bücherverbrennung der Nationalsozialisten zu reden – ihr tut das gleiche immer noch, auf eure Weise, unauffälliger, aber genauso vorsätzlich, und kommt dazu straflos davon. Der sogenannte »Raum«, den jene Zeitung »für Deutschland« angeblich den Büchern gibt, ist das Gegenteil von einem Raum: Er ist ein stickiges, luftloses Henkerstübchen, vollgepfercht mit bieder-wahnsinnigen Unholden und ihren ehrsüchtigen, selbstversessenen Mietlingen. Kritiker zu sein könnte ein guter, lehrreicher, Vergnügen bescherender Beruf sein; eine genaue, erzählende, aufschlüsselnde und wiederum verschlüsselnde Besprechung eines Buches, ob mit Liebe oder mit Zorn verfaßt, zu lesen, hat mir schon oft Freude gemacht, oft das Hirn zum Glühen gebracht, ja mich sogar gerührt und begeistert. Aber es gibt schon lange kaum Kritiker mehr – nur noch gutbezahlte Angestellte, die sich aufspielen, und immer für sich selber, und immer gegen jemand andern; und die hellen Streitspiele sind zum bloßen Gegeneinander-Ausspielen verkümmert. Lest, Leute, daraufhin in dem besagten Machtblatt eine sogenannte Buchkritik: in fast jedem Fall wird da weder ein Buch sichtbar, noch wird eine Besprechung zur Lehre, sondern, Satz um Satz, das Ausspielen, dieses gegen jenen, jenes gegen diesen, zum Skandal: der totale, totalitäre Vordergrund. Würde das Wünschen helfen, so wäre folgendes mein Wunsch: eine Wiederholung, eine Erneuerung, eine Wiederbelebung der Haltung Walter Benjamins.

Statt dessen wird, vorgeblich als ein Ereignis literarischer Rührigkeit, schon seit geraumer Zeit einmal im Jahr in einer südlichen Stadt meines Heimatlandes Österreich das minderwertigste, schändlichste, menschenunwürdigste Spektakel abgehalten; im Namen und unter dem Zeichen der Kultur betreibt in Klagenfurt, jener Stadt, wo in allen Straßen, auf allen Plätzen, unter jedem Baum, immer noch und für immer die unschuldig-wissenden Augen der Ingeborg Bachmann aufgeschlagen sind, alljährlich, eingeladen und bezahlt von jener Behörde, bei der einst meine Mutter sich Füße und Seele wundlaufen mußte, um sich von Amtszimmer zu Amtszimmer ein kleines Darlehen für den Bau der dringendst nötigen Wohnung zu erbetteln, ein Trupp gravitätisch-nichtsnutziger Barbaren, vor denen ein paar arme, eifrige, beflissene Talente erzittern wie damals die gesamte Kärntner Bevölkerung vor den Türken, statt der Kulturerneuerung, -wiederholung, -weiterführung vielmehr einen finsterlich-grausig-legalisierten Akt der Kultur-Abtreibung. Die so oft nostalgisch heraufbeschworene, selige Gruppe 47 schon war vielmehr ein unseliges Übel, in dem die Literatur beschnitten wurde zu einem Flachding aus Meinung, Trend, Jargon und Sprachpolizei; für immer wird unverzeihlich bleiben, daß der deutsche Epiker Hermann Lenz und der deutsche Lyriker Ernst Meister – für mich ebenbürtig der Ingeborg Bachmann und dem Paul Celan – von den Ausschließungs- oder Einlaßverwehrungsriten jener sitzriesigen Kleinbürger, aus denen sich die Gruppe vor allem rekrutierte, um das Gelesenwerden, um jede Antwort, um ihr Recht betrogen worden sind. Und betrogen worden sind auch wir, die Leser. Dafür wird es nie eine Lossprechung geben.

Ein Wettbewerb der Körper kann etwas sehr Schönes sein – ein Weitsprung, der dem nächsten folgt, wobei auch der Zuschauer in sich den Weitsprung erlebt. Ein Wettbewerb der Rede schon ist fragwürdiger, angewiesen auf Suggestion, immer behaftet mit dem Makel des

Nachgeschmacks. Ein Wettbewerb des Geistes, der Poesie, der Form jedoch ist niedrig und erniedrigend, sofern er nicht, wie im antiken Griechenland, vom Volk selbst entschieden wird: da hätte auch ich Lust, teilzunehmen und mit der Sprache meinen Weitsprung zu zeigen, mich zu freuen am Sieg, und mich zufriedenzugeben damit, der Besiegte zu sein. Wo aber ist bei dem erwähnten Wettbewerb das Volk? Gibt es heutzutage ein für dergleichen Dinge waches, zuständiges Volk? Der Trupp der aus ihren Kümmerlöchern herbeigereisten Feder- und Mikrophonfuchser jedenfalls, nach ihren Floskeln, Spruchtafeln und geheucheltem Ernst zu schließen, ist nur noch die Verhöhnung jener Volk-Idee: und ihre weinenden oder glückstrahlenden Opfer werden danach zwar immer weiterschreiben, aber alles, was sie schreiben werden, wird gezeichnet sein von dem unrechten, unzulässigen Wettbewerbsverhalten. Sie werden immer nur Talente bleiben. Ein Spruch, von einem der selbsternannten Kunstschöffen selber verbrochen, verdeutlicht vielleicht die ganze Szenerie: »Einmal im Jahr ist Klagenfurt die Hauptstadt der Literatur.« Und das ist die Literatur heute?

Zum Bild – nicht zum Inbild, sondern zum Punkt- und Zerrbild – ist mir der Stand unserer westlichen Kultur-»betrachtung« einmal, vor Jahren, in New York geworden, als ich in einer Menschenschlange vor einem Kino wartete: Alle meine Vordermänner und -frauen hatten die gefaltete Zeitung mit dem Kinoteil unter dem Arm, und genau an den Falten waren untereinander die Sterne gereiht, mit denen die Kritiker die laufenden Filme von Manhattan bedacht hatten; der Film, auf den wir alle warteten, hatte dreieinhalb Sterne. Dazu passen die

Annoncen wie: »Dieses Buch wurde von siebenunddreißig namhaften deutschen Kritikern auf die erste Stelle der Bestenliste des Südwest- oder Nordostfunks gesetzt«. Sogar mein lieber eigener Verlag ziert ein ausländisches Buch schon mit der Schleife: »Wurde von fünfzehn bedeutenden schwedischen Kritikern zum Buch des Jahres gewählt.« (Ich habe von diesem Buch nicht einmal die Plastikstrumpfhose, die jetzt alle Bücher verschweißt, entfernt.) Ebenso hörte ich in einem Gespräch mit einem eigentlich verständigen, offenen, lesenden Menschen eine seltsame Platzanweisung für die gegenwärtige Literatur der verschiedenen Erdländer: An erster Stelle stünde die südamerikanische Literatur, dann folge aber schon die deutsche; worauf ich fragte, welches Land nun an der dritten Stelle läge, worauf wir wenigstens lachten. Es gibt keine Weltliteratur mehr.

Damit bin ich nun, endlich, beim Übergang zu dem österreichischen slowenischen Dichter Gustav Januš und zu dem Petrarca-Preis, den wir in diesem Jahr zum vorerst letzten Male verleihen. Es ist der Hauptpunkt, aber ich werde mich kurz halten. In unserem Jahrzehnt läuft ja auch eine beliebte Klagerei um – Klagerei verhält sich zu Klage wie Liebelei zu Liebe –, es gebe keine epochale, bedeutende, welthaltige (und wie die Halbwörter alle heißen) Literatur mehr. Ich bin in der schönen, manchmal anstrengenden Lage, viel von dem zu lesen, was heutzutage geschrieben wird; es wird mir auch, von ganz Unbekannten, Manuskript um Manuskript geschickt, und ich bemühe mich, nicht nur darin zu blättern, und immer wieder habe ich dabei die Empfindung, daß das Formen, das Fassenwollen, kurz, das

Schreiben in der Menschheit blüht wie je, oder: kurz vor der Blüte steht – wie je. Oft ist mir bei meiner eigenen Arbeit ein Mann aus der Bibel in den Sinn gekommen, den ich mir dann als den Patron für uns Schriftsteller, oder überhaupt für die Künstler, dachte. Man möge ruhig darüber lachen: es ist Johannes der Täufer. So wie er meinte, nach ihm käme der Größere, so empfinde auch ich immer, es nicht zu schaffen, doch einer, oder nicht bloß einer, würde auftreten, nicht nach mir, sondern vielleicht schon jetzt, und schreibend sagen, was der Fall ist: ein-facher, dringlicher, erlösend. Und diese Empfindung schmerzt mich keinen Augenblick lang; sie tröstet mich.

Wie bin ich überhaupt auf die österreichische slowenische Literatur gekommen, welche an der südlichen Grenze des deutschen Sprachraumes, in Südkärnten, ein eigenes Sprachland bildet? Ich stamme selber aus dem ländlichen Südkärnten, und meine Mutter wie meine Großeltern waren Slowenen, wie Gustav Januš ein Slowene ist. Es sind nur unsere Täler verschieden: er kommt aus dem Rosental, ich komme aus dem Jauntal. Ich habe in der Schule ungern, weil gezwungen, die slowenische Sprache gelernt und bald wieder vergessen. Die slowenischen Gottesdienste in der Heimatkirche waren, durch ihre Inbrunst, ihren musikalischen Atem und ihr heiteres Gepränge, die einzigen bisher, bei denen ich einen Begriff von dem Wort »Gottesdienst« bekam; die Litaneien waren kein Geleier, sondern wirkliche, begeisterte wie trauervolle Anrufe. Vor einem Jahrfünft, nach Österreich zurückgekehrt, war ich entschlossen die slowenische Sprache neu zu lernen, und ich wollte das nicht mit dem Gerüst der Grammatik tun,

sondern mit Hilfe des Hauses der Literatur. Und als ich die ersten Sätze des Romans *Der Zögling Tjaž* des Kärntner slowenischen Epikers Florjan Lipuš las, war ich auch tatsächlich zuhause, so wie ich in der Literatur meines Heimatstaates noch keinmal zuhause gewesen war: »Dočakel si, da greš skozi vas. Vse počitnice nisi hodil skozi tako na veliko, kot greš danes.« – »Endlich gehst du durchs Dorf. All die Ferientage bist du nicht so großartig hindurchgegangen wie heute.« – Und ähnlich erging es mir, als ich mich, viel später, und eher zuerst im Spiel, an einer Übersetzung der Gedichte von Gustav Januš versuchte: »Skozi okna / hišna vrata / sem stopil v sobo, / prižgal luč / in sedel na klop. / Bil sem sam ...« – »Durch die enge / Haustür / bin ich ins Zimmer getreten, / habe das Licht eingeschaltet / und mich auf die Bank gesetzt. / Bin allein gewesen. / Der Stuhl, / manchmal Platz der Mutter, / ist leer gewesen. / Ich habe ihn zum Zimmer hinaus getragen, / im Bewußtsein, / daß es für die Mutter / kein Heimkommen mehr geben wird, / weil sie im Vorjahr gestorben ist / und jetzt draußen liegt, / auf dem Friedhof.« Und dann, nach diesem Gedicht, das der Zwanzigjährige schrieb, ein Gedicht des Fünfundvierzigjährigen: »Kakor večno domotožje / privre iz spomina / prilika o izgubljeni sin ...« »Wie ein immerwährendes Heimweh / entströmt dem Gedächtnis / das Gleichnis vom verlorenen Sohn ...«
Was ist es, das mich, über jeden Lebensgrund hinaus, eine solche Zuneigung hat fassen lassen zu dieser slowenischen Sprache? Ich weiß ja, daß jede Sprache schön ist, auch jene, die der sogenannte Volksmund (das Wort sollte es nur noch als Schimpfwort geben) verspottet.

Aus dem Slowenischen höre ich jedoch noch einen Zusatz zu all dem Schönen und Lieblichen jeder Sprache heraus. Vielleicht ist es die Fülle der dinglichen Wörter, das heißt der Wörter, die zugleich die Melodie, die Farbe, die Form, die Fruchtigkeit des jeweiligen Dinges wiedergeben. Und es handelt sich immer um die sogenannt kleinen, die ländlichen, die natürlichen Dinge, auch der Menschennatur. Ich nenne ein paar Beispiele. Im letzten Zitat steht das Wort »domotožje«; es bedeutet »Heimweh«. Dieses »domotožje« nun ist zusammengefügt aus den Wörtern »dom« (Haus, Heim) und »tožba« (die Klage). Das Wort für »Trauer« ist »žalost«. Das Wort für »Freude« ist »radost«. Das Wort für »Sehnsucht« ist »hrepenenje«. Das Wort für »Leben«, sehr häufig bei Gustav Januš, ist »življenje«. Das Dingwort für »Apfel« ist »jabolko«, das für die Maulbeere »murva«, das für die Himbeere »malina«. Dabei darf nicht verschwiegen werden, daß die slowenische Sprache, was die Begriffe, Abstraktionen, amtlichen Wörter betrifft, im Gegensatz zu den gerade erwähnten von einer häßlichen, fast absurden Künstlichkeit ist: die Amtswörter sind nämlich jeweils wörtliche Entsprechungen zum Deutschen; es hat sie im Slowenischen nie gegeben; denn die Slowenen waren immer nur ein Volk (»Volksgruppe« nennen die österreichischen Behörden das widersinnig, und wir anderen plappern es nach – als ob »Volk« und »Gruppe« je zueinanderkommen könnten) – sie waren nur ein Volk, und nie ein Staat.

Was finde ich in den Gedichten des Gustav Januš, über die Dingwörter hinaus? Es ist vielleicht das Absichtslose, Willen-lose; das Eigen-Mächtige. Die herrschende

Literatur unseres Jahrhunderts besteht fast nur aus Leuten, welche von der Welt, dem Dasein, der menschlichen Existenz eine Meinung haben. Die Stärksten dieser Schriftsteller haben eine starke, gewissenhafte, sinnenhafte Meinung, aber es bleibt doch eine Meinung. Franz Kafkas beliebtes »Gib's auf!« ist nichts als Meinung. Samuel Becketts Spruch vom Geborenwerden über dem offenen Grab, über dem wir kurz erglänzen, ist nichts als Meinung. Ciorans Leier vom Unglück, geboren zu sein, ist nichts als (schon schlechtere) Meinung. Sogar Rilkes wunderbarer Vers vom Schönen, das nur des Schrecklichen Anfang sei, wird leider mißbraucht als Meinung; so wie ich auch nicht einverstanden sein kann mit der Bemerkung meines geliebten Walker Percy aus dem *Kinogeher:* »Die Schönheit ist ein Biest.« Da überzeugt mich doch weit mehr die kleine Bemerkung eines Kindes im Gedränge eines großen Bahnhofs, wo Erwachsener und Kind unversehens des Schnees auf dem Bahnhofsglasdache gewahr wurden und das Kind, auf den Ausruf des Erwachsenen: »Wie schön!« sagte: »Das Schöne sieht man so schlecht.«
Ja, das Schöne sieht man schlecht; aber Gustav Januš ist ihm in all seinen Gedichten auf der Spur. Es gibt kein Gedicht von ihm, das etwas behauptet oder meint. Seine Poeme sind, so könnte man sagen – und das ist es auch, was das Poetische an ihnen ausmacht –, das *reine Hin und Her.* (Gustav Januš hat im übrigen, soviel ich weiß, noch nie eine einzige Prosazeile geschrieben.) Das reine Hin und Her: Die Schwebe, der Widerstreit, das Dialektische (Verzeihung für dieses Wort). Insofern beschreiben seine Gedichte nicht nur Augenblicke, so wie es die japanischen haikus tun (mit denen Januš' Sprache

trotzdem viel gemein hat), sondern ganze Tagesläufe: Das Hin und Her der langen Tage Reise in die Nacht, und zur Nacht hinaus. Und indem jedes Gedicht ein Tageslauf ist, zeigen die Gedichte zusammen einen Lebenslauf; nein – nicht nur einen, sondern viele Lebensläufe, oder einfach nur seinen, meinen und deinen. Wir nennen Gustav Januš einen Dichter, weil er an keiner Stelle meint, sondern stetig sachlich sagt. »Was einer allein denkt, ist bloße Meinung«, sagte einer vor Sokrates. Gustav Januš denkt, schreibend, nicht allein. »HEIMISCHER ACKER: Die Glocke hat in mir / die Erinnerung geweckt / an den heimischen Acker, wo / mich der Vater hingeführt hat, / die Sonne anzuschauen, / an den Acker, wo / er mir nahegebracht hat, / daß dieser Früchte trägt / und den Bedürftigen / Nahrung gibt. Er hat mir gesagt, ich / sollte ihm zugeneigt sein, / so wie die Erde / ihren Lebensformen / zugeneigt ist. / Ich bin befremdet gewesen. / War noch ein Kind.«

Und nun bin ich zurück bei den Gedichten, der Maultrommel, der Mundharmonika. Ein Vers in einem kleinen Gedicht von Nicolas Born lautet: »Summt, kleine Liedchen, summt.«

Das plötzliche Nichtmehrwissen
des Dichters

Wie nur die Liebe, welche die Gedichte Jan Skácels auf
mich Leser übertragen – vollkommen schweigsame und
im Schweigen ganz ihr Genüge findende Augenblicke
der Zuneigung über die Gedichte hinaus zu den Dingen
der Welt –, hinüberbringen ins Reden, in die Worte
einer sogenannten Laudatio?

Sachlich – nicht *bleiben* (denn sachlich bin ich nicht von
vornherein), sondern *werden;* sich an die Sachen, die
Wörtlichkeiten der einzelnen Gedichte, halten; und
dann sachlich sagen – es zumindest versuchen, auch
wenn dabei zugleich schon wieder eine Empfindung
dazwischen spielt: die Empfindung beim Lesen von Jan
Skácels Gedichten wie die von wärmendem Sommergras unter den bloßen Sohlen. So beruhigend, begüti-
gend, erdend wirken seine Gedichte – mag in diesem
Sommergras auch so manche Stechbiene sein; denn,
nach Skácel: »der dichter setzt / zur wehr sich wie die
biene / und schenkt das eigene sterben / dem den er
verletzt.«

Ich habe nicht alle der in etwa vier Jahrzehnten entstan-
denen Gedichte Skácels lesen können, und alle die, die
ich las, nahm ich, bis auf eines, nicht im originalen
Tschechischen auf, sondern in der, scheint mir, mär-
chenhaft glücklichen deutschen Übersetzung Reiner
Kunzes: Doch haben die hundert und mehr mich besee-
lenden und mich ihren Gegenständen einverleibenden
Skácel-Poeme (ja, nicht der *Leser* hat *sie* sich einverleibt,

sondern umgekehrt) genügt, der Poetik des großen tschechischen Dichters innezuwerden. Es ist eine Poetik, die sich nie schließt zu einer Kette von Sätzen; sie zeigt sich jeweils nur in einem einzelnen Satz, beiläufig, im Verlauf des Gedichts, als bloßer Hauch, ist selbst, als Hauch, pur Gedicht.

Diese so offene Poetik möchte und darf auch ich hier nicht zusammenfügen, geschweige denn definieren, ich kann nur ein paar einzelne solcher Anhauche aufzählen: »erfindbar sind gedichte nicht / es gibt sie ohne uns irgendwo seit / irgendwo hinter   sie sind dort in ewigkeit / der dichter findet das gedicht«. Oder: »aufrecht gehn gedichte die erwachsen sind / vierzeiler aber wie meine hier / kommen auf allen vieren zu mir / wie lämmer und esel   oder wie ein Kind«. Und: »laß schon sein   räum im gedicht / für immer auf wie eh und je«. Und: »Jener deren muse nicht betteln geht von tür zu tür / sind schon einige hier bei uns ...« Und: »Und wie musik beenden oder ein gedicht / ohne eine kleine menschliche lüge ...« Und dann: »Und mein durst mein weißer / wird die wörter an den fingern abzählen / wird zählen auf daß ich meine tagesdosis / nicht überschreite«. Und dann: »Und der dichter bittet unterdessen um ein wort / um ein wort nicht wie blei / um ein wörtchen hirserund // und spart das wort sich ab vom mund«. Und nicht zuletzt: »Die gegenwart des gedichts ist angedeutet / durch leichte trauer / Von nichtsehen zu nichtsehen teilt es sich uns mit ...« Und *nicht* zuletzt: »Doch erinnere ich mich dann von neuem, / und zum Kaffee sage ich bereits die Verse her, / bedächtig, mühsam, damit sie dauern ...«

In unseren deutschsprachigen Breiten ist Jan Skácel vor

allem mit zwei Dichtern verglichen worden: mit Georg Trakl und Peter Huchel. Keiner dieser beiden Vergleiche hat mir beim bedächtigen Lesen der Gedichte Skácels auch nur im geringsten eingeleuchtet. Trotzdem, glaube ich, können sie fruchtbar werden, wenn sie ihr Gewicht verlagern vom Vergleichen auf das Unterscheiden. So sehe ich zwar hier und da bei Jan Skácel eine Hommage auf Trakl, oder eine anmutig-heitere Reverenz, wie etwa: »und trommle / wie mein weißes gefühl mir befahl«, oder: »und im Quaken der Frösche / grünte die Nacht«, oder, ganz klar da: »Gern hab ich den Augenblick, / da der Hyazinthenschrei der Kinder den Abend aufweckt« – aber nirgends so etwas wie einen Einfluß, ja nicht einmal eine Verwandtschaft, oder höchstens eine Verwandtschaft in dem Sinn, daß man Skácel einen in die Außenwelt, die Natur, die Landschaft entkommenen Trakl nennen könnte, ausgestattet auch mit der Dankbarkeit eines so Davongekommenen.

Doch sonst nur Unterschiede: Während bei Trakl die Farbenzeichen für die Dinge – fast keins seiner Gedichte ohne wenigstens drei, vier Farbwörter – aus der Empfindung, dem Traum, der Vision des Dichters kommen, läßt Skácel – auch seine Poeme oft sozusagen mehrfarbig – an seinen Dingen in der Regel deren reale Farben erscheinen, auch wenn es die besonderen eines besonderen Augenblicks sind: Seine »blauen Vögel« sind in dem dichtenden Moment wirklich blau; die Trauernden hinter dem Sarg erscheinen augenblicksweise wirklich »in purpur gekleidet«, und sein immer wiederkehrendes Gold wird dem Leser durch das Gedicht aus dem Gedächtnis gehoben auch als das seine; seine Goldwahrnehmungen von den Dingen der Kinder zeigen sich dank des Gedichts als die allerwirklichsten: »Die hitze senkrecht, der dorfplatz mit der kamille, / träge schatten / als streckten blaue hunde / über dem goldenen rinnsal jauche / alle vier von sich«: Ja, so war es!; und genauso war es auch, wenn die Kälbchen zur Welt kamen: »Wehmütig muht zuweilen die kuh / und blickt sich um / mit augen, blauer als achat // Milchquellen rasseln an melkkübel, / im luftzug wehn goldene saiten des mistes ...«: Nein, so *war* es nicht bloß, so *ist* es auch, und so wird es sein, immer und überall. Pointiert könnte man demnach sagen: Trakl gibt den Dingen Farben, während die Dinge auf den Jan Skácel und mich, den Leser (wir beide neu die Kinderaugen öffnend), ihre Farben übergehen lassen – dort das Farbengeben, hier das Übergehen der Farben auf den, der einfach schaut. (Oder in einer anderen Zuspitzung: Trakl, der Farbenbedrückte, Skácel, der Farbenfrohe.) Wie aber schaut Jan Skácel, in was für einer Haltung empfängt er die »auf allen vieren« auf ihn zukommenden Gedicht-Dinge?

Ich hatte als Leser dazu ein Bild für alle: Ein Großer, ein Erwachsener, in der Hocke, an einem mährischen Wiesenrand, die vielfarbigen Wiesenblumen, winzig klein wie »Herrn Mozarts winzig kleine nachtmusik«, nah vor Augen, wieder im Kindesabstand, so daß ein endloses musikalisches Übergehen einsetzt auf den Schauenden, das Schwarz des Wiesenknopfs, das Gelb des Hahnenfuß, das Blau der Kornblume ...: Und tatsächlich werden ja bei Jan Skácel die Farbendinge oft auch noch *hör*bar, so wie einmal »die rose zu besuch« zu ihm sagt: »Über deinen augen hast du einen raben, / daß er dir

139

nicht fortfliegt, / trauriger, du«, oder ein andermal: »Wir tranken und hielten uns ans wort des weines, / des beim wort genommenen«, und wie, als einmal aus dem bitteren Dorn die Schlehenblüte ans Licht trat, »mit einemmal ein ton erklang«.

Jan Skácel hat eins seiner Gedichte Peter Huchel gewidmet. Es heißt »Znorovy nachts«, nach dem Geburtsdorf Skácels in Südmähren, und ist eins der wenigen Skácel-Gedichte, in denen, wenn auch nur für eine kurze Zwischenstrophe, die Historie sich aufspielt: »Znorovy nachts. Zwischen den scheunen / berühren alle bäume die dächer. / Hierher kehrten brave söhne zurück, geschmückt mit einer träne, / und die stolzen / gingen in ketten, stolz, / eine garbe haar in der stirn.« Dann aber folgt sofort die Wendung zurück in die eigene Geschichte, zurück in die alltäglichen Dinge, die Jahreszeit, die Landschaft, die Natur: »Auch ich ging, als führten sie mich ab, / stieß pferdemist weg / und wehmut.«

Im Unterschied zu Huchel ist Skácel die Natur nicht die Zuflucht im Exil, das Trostbild und zugleich, ambivalent, paranoisch geradezu, das Wiedergängerbild des Monstrums Geschichte, sondern sie bleibt, trotz aller Zwischenspiele, das erste, die erste Welt, die große, die weite. Deswegen sind seine Gedichte wohl immer wieder durchzittert von Wehmut, von Bitternis, ja Zorn (»Auch wenn die rosen laut blühen würden / und das wasser ans ufer baden ginge / gäbe es nach ihrem willen – dem der henker – keine kindheit / keine gegend mit der hohlen freiheit der halme«), doch ganz und gar ohne die Huchelsche Schwermut; auch für die Dinge der Trauer gilt für das Gedicht Jan Skácels das »sursum corda!« – ohne das »Empor die Herzen!« hebt bei ihm kein Gedicht an; erst mit dieser Aufforderung an sich selbst, Aufhebung der Schwermut, öffnet sich der Raum für das Gedicht.

Also, Jan Skácel zusammen mit der Daseinsliebe und Zukunftssehnsucht und dem Geschichtsvertrauen Friedrich Hölderlins? Ich stelle mir vor, der tschechische Dichter unseres zwanzigsten Jahrhunderts, bei diesem Vergleich, er lächelt, traurig und heiter. Und er hat dafür ja auch schon die Worte gefunden; in mindestens zwei Gedichten, einem, das »Leben« heißt und so geht: »Nirgends wohne es sich besser / als auf den neckarwiesen am Rhein / rief Hölderlin aus und ungestüm / trank er auf den sieg der niederlage grünen wein // Doch er selbst wollte in den Kaukasus // Die ebenen wissen aber sprechen nicht / und führen uns stets zu den nächstliegenden bergen // Und von dort müssen wir zurückkehren / mein schöner dichter und bruder / auf was für rührseligkeit haben wir da geschworen«; und das zweite, das »In der mitte des sommers« heißt und so geht: »Vollkommen ist's / wie der sommer sich über die dämmerung beugt / An dünnen ästen makellose vogelbeeren / und außerhalb des gewichts der zeit / Der august so nah wie die distel am weg / Die tage um einen fußbreit kürzer / … Sicherheit überkommt / Und wunderschön das überflüssigsein der klage.«

Man könnte lang noch verfolgen, wie Skácel im Gegensatz zu dem deutschen Heldenjüngling, von der Verzweiflung durch die Desillusion nie bedroht war, weil er seine Illusionen – hoch sie! – eben nie und nimmer verschwendete für die Hoffnung auf eine neue Wende der Geschichte und so in der Hälfte des Lebens mit

Sprachlosigkeit geschlagen wurde vor den im Eiswind klirrenden Fahnen; solch weiteres Verfolgen aber überlasse ich andern.

Wer ist nun Jan Skácel? Wo kommen seine herrlichen Gedichte her? Was ist ihre Abstammung? Mit wem sind sie verwandt? Stehen sie ganz für sich? Was haben sie womit gemeinsam? Klar ist nur: Jedes Kind könnte sie begreifen – vor allem die Kinder –, sie brauchen keine Vergleiche, und doch wird meine Lust, darüber zu reden und die Gedichte weiterzugeben, begleitet, ohne daß ich darauf aus bin, von Vergleichslust, Erinnerungen, Bildern, Klängen.

So kamen mir durch Skácel die Sagen der Kindheit neu in den Sinn, die Sagen nicht nur meiner persönlichen, sondern unserer gemeinsamen mitteleuropäischen Kindheit, die Sagen, Märchen und Fabeln aus der, wie die Gedichte es offenbaren, immer noch, auch jetzt gegen Ende des zwanzigsten Jahrhunderts, fortbestehenden und weiterwirkenden Kindheit der mitteleuropäischen Völker, wo im frischen alten Animismus die Wurzeln der Bäume tief unten in der Erde nachts ebenso aufleben wie im Finstern der Weinkeller in den Fässern »die sonne aus dem vorvorletzten jahr«, während an der Straße »die weiße staubwehe schläft« und der Fluß einen Vers »flucht, wenn er so über die steine / nachts, im dunkeln, stolpert«.

Oder Skácels Gedichte wecken in mir Leser neu den Psalmenklang, aber nicht den vertikalen, gerichtet hinauf zum Himmel, sondern einen, der durch die Ebenen hin zum Horizont geht und diesen umkreist; ja, jedes der Gedichte, wie sonst nur die große Musik, eröffnet in mir einen Rundblick, und dazu paßt, daß ihre häufigste

Form das Rondo ist, das Reigenartige. Oder – und jetzt
kommt ein kleiner Sprung – es hört der Leser manche
Zeilen plötzlich gesungen, nein, nicht nur von Dietrich
Fischer-Dieskau, sondern auch, Verzeihung, von John
Lennon, wie zum Beispiel in dem »Gespräch« hier, das
mich an »Norwegian Wood« erinnert: »Wie geht dir's,
mein lieber? / Wie dem bäumchen, / an das sie das lamm
banden, / damit's nicht in den schwarzen wald läuft, /
dem bösen wolf in die Fänge. // Und wie geht's meiner
lieben? / Wie der weißen birke, / die sich im wind
neigt, / neigt, neigt.« Und wieder Verzeihung, wenn ich
das »Über den wassern, ach, über den wassern / erhob
sich ein vogel ins blau. / Keiner weiß wie, keiner weiß,
wann / der vogel sich über die wasser erhob, / über den
drahtverhau« als Country & Western-Song höre, gesungen vom blutjungen Bob Dylan, frisch angekommen
in Manhattan aus dem Seengebiet von Minnesota; und
ein letztes Mal Nachsicht, wenn zu Skácels Kindheits-
gedicht mit der Strophe »Die sonntage silbern und
dunkelbraun die freitage / Mitten in der woche lag der
mittwoch / und der dienstag fand fast nicht statt« unwillkürlich in mir jenes Sechziger-Jahre-Lied mitspielt,
gesungen von den Easybeats, mit dem Titel »Friday on
My Mind«.
Seltsam nur, daß bei dem allen gerade einer sich nie
dazugesellte, seltsam und für einmal auch erleichternd:
der, nach dem dieser Preis hier benannt ist, Petrarca –
oder jetzt, im Nachdenken, doch; denn die meisten
Gedichte Skácels sind, mag das Wort auch fehlen, Liebesgedichte, Gedichte der liebenden Verehrung der,
seiner, Frau. »Brief von ihr« heißt so ein Gedicht: »Ich
fuhr mit dem letzten bus vom platz. / Der abend war

drückend und trostlos / wie leeres wasser … // Um wenigstens ein bißchen aufzuatmen, / entschloß ich mich, zuvor / aus tiefster Seele zu seufzen. // Damit mir hier etwas laut zurückbleibt.« Und auch die Sonettform kommt vor bei Jan Skácel, freilich, ganz zeitgenössisch, mit fehlenden Zeilen, an deren Stelle nur Striche stehen: »– – – – – – – – / und weil wir schon bald alt / und wie die häuser sein werden von vögeln / fand ich für uns eine landschaft«.

Das tiefste Bild aber, das mir durch die Poesie Jan Skácels entgegenleuchtet, ist das folgende: Einmal war ich für sehr lange Zeit weit weg von Europa. Irgendwo in Japan dann hörte ich an einem Abend, vor allem von begeisterten, jungen und älteren Hausmusikanten gespielt, das letzte Streichquintett Mozarts. Einige der Zuhörer, wie üblich bei den nimmer- und immermüden Japanern, waren sofort eingeschlafen. Ich aber wurde immer wacher und hatte, vollkommen übergegangen in die Musik, einen von Takt zu Takt mich mehr ergreifenden Traum: Die Mozartsche Musik, voll Wehmut, Trauer, zugleich Gelöstheit und Einverständnis mit dem menschlichen Sterblichsein, ließ mich in einem klaren, plastischen Halbdunkel dort weit weg in Japan zum ersten Mal das von mir bis dahin als bloße Ideologie abgelehnte Mitteleuropa sehen, mit einem einzigen, tschechischen, österreichischen, ungarischen, bayrischen, slowenischen Volk in dieser Landschaft, zu den heiteren Mollklängen einen Reigen tanzend, damals im achtzehnten Jahrhundert wie auch jetzt hier vor meinen Augen in Kyoto, einen Reigen, welchem nichts fehlte zum allervollkommensten, dem Dankgebet. Zum ersten Mal geschah es mir dort, fernab, daß ich mich von meiner mitteleuropäischen Heimat gewiegt fühlte und zu den Menschen da in dem Reigen gehörte, innigen, zarten wie nirgends sonst, geschlagen dabei, ganz anders als so viele andere Völker, mit der lebenslangen Unerfülltheit und also Sehnsucht und Verlorenheit, wie sie ideal in dieser Musik spielten, entsprechend den Skácelschen Zeilen: »Sieh, flinke mauerschwalben nehmen Brünn ein / und eine ungebührliche sehnsucht nimmt beim ellenbogen.« Und ist es dabei nötig, hinzuzufügen, daß jene Wiege Mitteleuropa nicht nur süß, sondern zugleich schmerzend war, wieder entsprechend den Zeilen Skácels: »Wer jetzt die stille berührt gibt der wiege / vergebens schwung   sie hat keinen boden mehr«?

Jan Skácels Gedichte wiederholen mir, Zeile für Zeile frisch, das Mozartsche (wie Schubertsche) Wachtraumbild des anderen, unideologischen, märchenhaften und so um so realeren, des *geltenden* Mitteleuropa. Wie im Rondo der »Häuser in Pavlov« (»die alten hab ich gern, / die ältesten, / die von musik unterkellerten ...«) sind sie allesamt unterkellert von Musik. Und wie in dem Gedicht »März« sehe ich sie in meinem Traumbild allesamt auf der Fiedel spielen: »Vom wald kommt ins dorf der frühling. / Unterm arm trägt er die fiedel, / das uralte instrument aus dreierlei holz. / Dann, eines abends, erklingt in den gärten ein lied. / Und bis tief in die nacht und auf einer einzigen saite / wird der unbekannte musikant uns / diese einfache sache erzählen.« Und allesamt wiederholen Skácels Gedichte mir das, auch wenn sie von Verrat, bösen Jägern, grausamen Lämmern handeln, »in der ortschaft mit dem schönsten namen der welt ... / In der gemeinde Fiedel«.

Aber zuletzt habe ich für Jan Skácel weder Vergleiche noch Bilder mehr nötig. Nur noch die Gedichte, für sich, sind mir übrig, in denen nie ein Begründungswort, nie ein relativierendes Einräumungswort, kein »Weil«, kein »Obwohl« steht, immer nur die uralten »Und«, »Dann«, »Wenn« und »Als«, Gedichte, die jeweils zugleich Erzählungen sind, Erzählungen, die wiederum all mein vorlautes Fragen beantworten mit dem erleuchtenden Unsinn der jahrtausendalten chinesischen *koâns:* »Und sein kann's, einer fragt dich auf der straße, / wann, meister, schreiben Sie ein funkelnagelneues buch? / Und du wirst sagen, wenn's mal regnet, / wenn ein schöner schlamm sein wird.«

Und trotzdem läßt sich etwas wie das Wesen, der Ursprung der Gedichte Jan Skácels andeuten. Also: Erzählungen von wissenschaftlichen Entdeckungen haben ihren Angelpunkt in der Regel in einer Wendung wie: »Plötzlich wußte ich ...« Der Angelpunkt des Skácelschen Gedichts dagegen ist, wie ausdrücklich in dem Gedicht »Steigbügel«: »... und ich beklommen, dem weinen nah, / und weiß plötzlich nicht ...« das plötzliche Nicht-Wissen, das plötzliche Nicht-mehr-Wissen; jenes plötzliche Nichtwissen erschien mir beim Lesen, ebenso plötzlich, als der Ursprung eines jeden Skácel-Gedichts. Und so bleibt es, ein für allemal: Das Finden des Dichters, *seine* Art des Entdeckens als ein plötzliches Nichtmehrwissen, *und* ein Übergehen ins Bild, in die Farbe, den Takt.

Zu *Jung und Alt*
von Hermann Lenz

Bei aller Unauffälligkeit, weil Feingliedrigkeit, der Satz-
gestik waren die Bücher von Hermann Lenz, besonders
die autobiographisch gewirkten (zuletzt *Seltsamer Abschied*, 1988), doch immer Dramengeschichten: etwa
vom Ins-Abseits-Geraten der Einzelnen zu Beginn der
nationalsozialistischen Gewaltherrschaft in *Andere
Tage;* vom Stolpern und Beiseiteschlurfen des zum
gemeinen Soldaten entfremdeten jungen Dichters, sechs
Jahre lang, in einem fortwährend fast ohne Atemhol-
Zwischenräume verlebten Krieg (*Neue Zeit*); vom
Nicht-mehr-Zurückfinden des Vereinzelten (*Tagebuch
vom Leben und Überleben, Der Fremdling*) im Nachkrieg; oder dann »bloß« vom Vertriebenwerden aus
angestammtem Haus und gewohntem Lebensgang des
Altgewordenen eben im *Seltsamen Abschied*. Die Erzählung *Jung und Alt* jetzt aber ist ein Buch, wie es
ähnlich Flaubert vorschwebte (und nicht nur ihm): fast
aus nichts. Zwar gibt es in der Geschichte immer noch
Dramen (besser: Konflikte), doch viele Konflikte – ein
unsteter Jugendlicher als Autoknacker, eine sich sor-
gende Mutter als die Frau zwischen den Jahren, ein alter
Maler als der von der Geliebten getrennte Einsame –
werden in *Jung und Alt* nicht *aus-*, sondern nur beiläufig
*vor*getragen, und sind, sozusagen, die Nebenhandlung.
Die Hauptgeschichte, der schönste Teil des Buches,
geht um jenes »fast nichts«. Fast nichts? Sind die Steine,
das Gras, die verrosteten Konservenbüchsen und ver-

bogenen Schlüssel, welche die Zentral-Figur, der Maler Robert Roß, sieht und mit Hilfe von Licht und Farben auf die Leinwand (oder auch auf »Lindenholz«) überträgt, denn nichts? Nein, oder mit den Worten der über den Maler sinnierenden Haushälterin-Schwester: »Der ... holt ... aus sich heraus, was sich in ihm gespiegelt hat. Zum Beispiel welke Blätter, Maulwurfshaufen und ein Stück vom Fluß. Darin ist alles, und später macht er daraus seine Bilder.«

Freilich wird im Erzählen die Haupthandlung – die Übergänge vom Licht in die Farben, der Wechsel von Nah und Fern, die Augenblicke von reinem Dasein – immer wieder verdrängt von dem Beiwerk des bloß Thematischen (Jung und Alt), des nichts als Stofflichen, sich zur Form nur mühsam Lichtenden, und manchmal hat sich der hier von dem Buch berichtende Leser gefragt, ob solch Beiwerk nicht bloßer Vorwand für das daraus dann hervorbrechende Licht- und Weite-Erzählen sei? Wenn auch vielleicht ein notwendiger?

Sicher ist, daß der fremde Blick des Hermann Lenz auf die heutige Zeit (in Stuttgart, Rom oder im Bayerischen Wald) zugleich ein befremdeter, scharfer, zuweilen auch nicht ganz gerechter ist. Zwar hat er viel von den Jüngeren gesehen und gehört und sich auch das jeweils die Gestalten wie Situationen Bezeichnende gemerkt, doch läßt er es an manchen Stellen nicht bei den Seh- und Hörbildern bewenden, sondern zäunt diese ein mit Meinung, Urteil und sogar Vorurteil. Dergleichen würde das Lesen seines Buches, welches im übrigen Geduld nicht erfordert, sondern sie erzeugt, nicht stören, hätte es die Geradheit und jene »Strenge«, wie sie der Maler in der Erzählung von seinem eigenen Leben und seinen Bildern wiederholt fordert: »... ließ er sich vom strengen Leben nicht abbringen«; »... denn für ihn waren Strenge und Frische wichtig«. So aber scheint der Erzähler dem Leser eher beiseite, verdeckt, hintenherum zu urteilen und zu verurteilen, und vor allem ohne epische Leidenschaft und Notwendigkeit; nicht daß man sich zu den geschilderten Sachverhalten immer die Thomas Bernhardschen »abscheulich«, »grauenhaft« oder »entsetzlich« wünschte – doch ist ein Wort wie »merkwürdig« für etwas, wovor es dem Erzähler in Wahrheit schaudert, dann sowohl zu wenig als auch zu viel. Lieber Hermann Lenz, möchte der Leser dann sagen, schimpfe und schmähe, wenn dir schon danach ist, die gegenwärtigen Verhältnisse einmal nicht fußnotenhaft, beiläufig, von hintenherum, sondern aus dem Herzensgrund, mit eben der tiefen, weithinausschwingenden Stimme, welche du auch für den Hauptstrang deiner Erzählwerke hast! Du bist ja zornig, zorniger als die meisten, die bloß so auftreten, und du kannst es auch zeigen – also zeig es beizeiten, statt bloß so weiter herumzumosern (nichts gegen Hans M.!) von bleichen, bartverwachsenen Jugendlichen in lärmenden Diskos und von Hochhaus-Zyklopenfüßen.

Allerdings ist dieses Verlangen des Lesers nach Entschiedenheit bei Hermann Lenz, jedenfalls in dessen Hauptsache, dem Sichvertiefen »ins einzelne und Kleine«, auch ein Unsinn; denn jenes Grundwort, das bei Thomas Bernhard zuletzt »naturgemäß« hieß, ist bei ihm das »sozusagen«, und das »Sozusagen« ist an einer Stelle sogar bezeichnet als seine erzählerische Glaubenssache: »... denn alles, was Robert anging,

149

war immer ›sozusagen‹, also nicht ganz sicher«. Oder an einer anderen Stelle, umschrieben: »Robert wollte nichts (von sich) erzählen, weil's ihm lieber war, wenn ein Zwischenraum blieb.«

Also zur Hauptsache von *Jung und Alt* – dem Lob des »ereignislosen Lebens«, in dem dafür, wenn man sich, im Gehen, Schauen, in der Arbeit des Schreibens und Malens, »absinken« ließ in sich selber, das »Durchsichtigwerden«, zum Beispiel eines Parfümfläschchens aus der Römerzeit, sich ereignete, und das Land sich dehnte zum »stillstehenden Augenblick«, mit dem das Wort »merkwürdig« vielleicht wieder seinen ursprünglichen Sinn bekam: »Hohes und gebleichtes Gras erschien als ein dichtes Gespinst, goldschimmernd. Merkwürdig, dieses Gelb der Nähe und darüber das Dunkelblau des Waldes, der ferngerückt war und aussah, als wäre er von der Luft ausgewaschen worden ...«

Aber: derartiges Preisen des Abseits, der Stille, der kleinen Dinge – kennen wir es nicht schon von altesher: aus dem Lob der *ataraxia*, der Unerschütterlichkeit, der Gemütsruhe, bei Epikur, der Geduld und des Für-Sich-Seins bei (wie immer der große Gewährsmann des Hermann Lenz) Marc Aurel, dem Psalmenton des Sanften Gesetzes bei Adalbert Stifter? Gehört es nicht schon fast zu einem fertigen, geschlossenen Weltbild, unzugänglich dem Durchlässe öffnenden, freien Erzählen – so mit diesem sogar im unvereinbaren Widerspruch? – Und das nun ist die Kunst des Hermann Lenz, in *Jung und Alt* noch freier und entstofflichter als in den früheren Büchern: daß er solchen Widerspruch auflöst und fruchtbar werden läßt, in einer ganz eigentümlichen Ordnung der Sätze, in einer Erzählfolge, wie sie bei keinem anderen Schriftsteller zu finden ist. Und diese besondere Form der Geschichte ist es vor allem, die den Leser hier gedrängt hat, etwas von der Weise des Buches weiterzugeben.

Noch am wenigsten besonders erscheint zunächst der Wechsel der Erzählperspektive von Kapitel zu Kapitel: Das Geschehen einmal gespiegelt in den Augen der »Frau zwischen den Jahren«, dann des alternden Malers, dann dessen bärbeißig-fürsorglicher Schwester – man glaubt darin eine Methode wiederzuerkennen, frei nach Dos Passos' *Manhattan Transfer* und William Faulkners *As I Lay Dying*. Doch schon da verliert sich sehr bald der Eindruck des Methodischen; was Sequenz und Schnitt ähnelte, erweist sich als selbstverständliches, durch Einfühlung sich ereignendes Hinübergleiten des einen Blicks in den andern, nicht als Schreibtechnik, sondern als die alltägliche Osmose »draußen« in der Natur, entsprechend etwa jenem Erzähl-Gedanken (niemals steht bei Lenz ein Gedanke, als endgültig, in der Gegenwart!): »Nur Natürliches war (!) des Nachdenkens oder des Einfühlens würdig ...«

Weit »merkwürdiger« freilich als derartiger Blick-Wechsel erschien dem Leser die Feinstruktur der Erzählsätze, und noch merkwürdiger der Absätze. Diese Struktur ist so seltsam, weil sie den Unterschied klarmacht zwischen dem Stoiker als Philosophen und dem Stoiker als Künstler. Nicht Leitsätze für andere stellt der letztere auf, vielmehr redet er sich selber möglichst gut und gewissenhaft zu, bedacht, daß er eben kein allgemeines »Gesetz« erlebt, sondern einen von ihm allein, für ihn allein, zu bedenkenden Augenblick, der aber immer ein großer ist, nämlich »Ein Augenblick deines Lebens«. Und »dann war es ihm zumute, als bedeute auch ein Stein im Weg für ihn etwas Außergewöhnliches. Ein flaches Keupersandsteinstück, unter dem ein Laufkäfer mit grüngoldenem Leib verschwand.«

Erstaunlichkeit dieser Erzählart: Erzählt wird dabei, was gerade, im Augenblick, da ist; das pure Dasein der Dinge läßt sich sehen als ereignishaft – und so gehen die dem entsprechenden Sätze: »Baumkronen regten sich als [nicht ›wie‹ – kein *Vergleich,* sondern eins ver*tritt* das andre] Schattenspiele. Das Neue Schloß war hell gestreckt, der Anlagensee spiegelte. Das Landtagsgebäude war ein dunkler Glaswürfel auf Stelzen, während das Tal, weit geöffnet und erfüllt von Mondlichtdunst, sich ringsum über dunklen Bäumen dehnte. Das war nicht weit vom alten Brunnen, auf dessen Obelisk ein Adler glänzte.« Oder auch in der sonderbaren, »unerhörten« Struktur mancher Einzelsätze: »In einer langen und hohen Parkmauer war das Tor geöffnet.« – »Der Kühler hatte Regentropfen.« – »Ein schwerer Eichentisch war rund.«

Ähnlich merkwürdig oder erstaunlich, sooft die Struktur solcher Satz-Augenblicke der reinen Gegenwärtigkeit sich noch weiter öffnet, weiter ausspannt, nämlich zwischen Innen und Außen, Bewußtsein und Außenwelt, und zwar wieder nicht methodisch, sondern als der natürliche Atemvorgang, gemäß der Reflexion des Malers Roß: »Er hatte Mühe, Innen und Außen auszubalancieren, während andere … Geschehnisse brauchen, die sie wach hielten.« Und so sehen diese Von-innen-nach-außen-Sätze dann zum Beispiel aus: »Er grübelte … dachte, es könnte einmal so weit kommen, daß Farbe und Licht ineinanderschmolzen, Licht zu Farbe wurde, sozusagen, als der Boden vom nahenden Zug zitterte.« Oder: »Freilich, Wunder ist es keines, daß sich Livia aus der Misere deines Lebens entfernt hat, sagte Robert zu sich selber, während immer noch die Haselnußbüsche dort über den Frauenbergweg hingen ...«

Ebenso wie *Jung und Alt* könnte diese Augenblicks-Geschichte demnach auch »Innen und Außen«, oder »Nah und Fern«, oder »Damals und Jetzt« heißen. Und am erstaunlichsten wirken dann ja jene Absätze, worin alle diese Gegensätze sich zu einem einzigen, zwanglosen, weitausholenden Erzählen zusammenfinden und alle die stoischen Einzelbilder ineinander übergehen, zitternd, sich »regend«, sich »rührend« (häufige Lenz-Wörter). Wenn da zwischen den Sätzen überhaupt noch ein »weil« oder »denn« oder »um zu« steht, dann ist es das kindliche oder volksmundhafte, etwa: »Ende Oktober und Anfang November wollte er am Feuerbacher Weg den Schlehenbusch besuchen, um sich von seinen Früchten den Mund gerben zu lassen, denn so gehörte es sich für den Spätherbst, während jetzt der Sommer angefangen hatte.« – »Und er malte schon für sich, während er hinaussah, auf den Straßenasphalt blickte, stehenblieb und emporschaute zur Milchstraße, die er immer suchte, wenn er im September hier war. Wobei das Wort ›Milchstraße‹ nicht ganz das Richtige war, weil diese Sterne dort an Sand erinnerten, der weggeschwemmt werden konnte, sozusagen; doch währte es noch eine Weile.«

Zwar finden sich schon in den früheren Büchern von Hermann Lenz solche wahrhaft weltumspannenden, dabei ganz ungezwungenen Satzfolgen – in *Jung und Alt* geschieht dabei aber manchmal noch etwas Zusätzliches: etwas herzhaft Pathetisches, Verkünderisches, wie es ein Fünfundsiebzigjähriger nicht bloß sich erlauben, sondern auch seinen Lesern zumuten darf – derartiges Lesen ist *gesund,* jedenfalls für den berichtenden Leser hier. »Die Kaffeekanne war so wichtig wie jedes Möbelstück, wie die Ofenwärme und wie das, was die Großmutter hernach in der Küche tat; denn alles gehörte zusammen ... Und Ottilie dachte ..., so sei auch in den Bildern ihres Bruders alles drin, selbst wenn er nur ein rostiges Schloß male oder seine Hand, die sich unter Herbstblätter schiebe. Und sie erinnerte sich eines Bildes mit Gräsern und Steinen am Flußufer, einem herabhängenden Ast überm Wasser bei hellem Licht, ungefähr im Juni. Und auf dem Wasserschimmer war ein Lichtflecken gelegen ... Das Wasser mit dem Schimmern des Lichts hinter dem Gras aber und weil ein herabhängender Weidenast mit lanzettförmigen ... Blättchen so gemalt war, als ob er sich bewege wie die Schnur einer Peitsche ...: dies alles weckte das Gefühl, das Irdische bedeute etwas Anderes, und es lohne sich zu spüren: du bist auf der Welt.«

Und am Schluß dann jene Sätze, die sich, in wunderbarer Selbstverständlichkeit, aneinanderreihen mit einem bloßen »Und«, und deren Zeitwörter allein »war« und »hatte« sein können; wobei jedes »Und« ein noch tieferes Atemholen, ein noch weiteres Hinaus-ins-Land-Schwingen ist (das »Und« nicht entliehen der Bibel, sondern das höchsteigene des in Ehren altgewordenen Erzählers), und das »War« und »Hatte« die Fülle des Seins, auch *Tätig*seins, ausdrücken. »Die

Wiesen waren ... verwildert und hatten hohes, vergilbtes Gras ... Weitergehen und dabei ins Gras eindringen, ins Wasser, das sich wegzieht von dir selber. Und er merkte, wie selten es gelang, im Stein zu sein ... sich hineinzustehlen in das Moos. Wenn dein Gefühl sich dorthin verflüchtigt hat, ist auch dein Leib sauber samt dem Inneren des Kopfes. Und er gedachte seines Leibes ...«

Das einzige, was in der Mitte dieser Erzählung schließlich handelt (oder *wirkt*): die Farben und das Licht. »Violettes Licht flog draußen über dunkle Wolken ...« – »Am stärksten freilich war das Licht. Jetzt war es jung, jetzt im Juni. Draußen streifte es vorbei ...« – Was *be*wirkt aber *Jung und Alt?* könnte nun noch die Frage sein. – Die Antwort nehme ich aus einer Buchzeile: »Und alle drei spürten, wie sie zusammengehörten ... und wie sie dankbar waren fürs Lebensgeschenk« – die kleine Erzählung, samt notwendigem und weniger notwendigem Beiwerk, hat im Leser jene fastvergessene Dankbarkeit geweckt, zum mindesten für ein paar gesunde Augenblicke.

Wir-Erzähler und Ich-Erzähler:
Zu John Berger

Einmal im Jahr, fast regelmäßig seit fünfzehn Jahren, treffen sich ein paar verstreute Ich, Du, Er, Sie und Es, und werden zur episodischen Gruppe, um ein Fest zu feiern, das Petrarca-Preis heißt, und nicht immer, aber immer wieder ist solch eine seltene Festlichkeit dann auch gelungen, und zeitweise blieb das Danach dem einen und dem anderen der Gruppe als die Verkörperung oder Erfüllung eben jenes Jahres: wie mir zum Beispiel jener Junitag 1976 in Arqua Petrarca mit Ernst Meister, oder jener andere Junifeiertag 1989 mit Jan Skácel bei Lucca. Für eine kleine Zeit waren da die Verstreuten so glücklich wie selbstverständlich, so rein wie wortlos vereint, und das war auch schon das ganze Fest: Große Zeit! es gibt so etwas also auch heutzutage noch, diese und jene Stunde lang, und die verfliegt nicht, wie eine bloße Stimmung. Diesmal jedoch gibt es, für mich wenigstens, ein paar Hindernisse auf dem Weg zum Fest, vielleicht. (Wie gut, daß einem für den Augenblick solch ein »vielleicht« ins Wort fällt.) Da aber das Spielverderben hier nicht in Frage kommt und ich, wie hoffentlich du, er, sie auch, Fest-bedürftig bin, ja mit den Jahren mehr und mehr, will ich die Hindernisse, meine, benennen – in der Vorstellung, allein so ein Benennen könnte den Festweg lichten. Das wird ein schwieriges Fest; vielleicht auch nicht.
Ohne Zweifel zeigen die Sätze der Bücher John Bergers, dem Peter Hamm, Alfred Kolleritsch, Michael Krüger

und ich in diesem Jahr den Petrarca-Preis zugesprochen
haben, die Gestik eines Meisters. Nur – abgesehen, für
dieses eine Mal, davon, daß, zumindest im Poetischen,
von dem hier das Feiern ausstrahlen soll, die Meister-
Gebärden den Leser oder Hörer eher aussperren aus
dem Buch: John Bergers Arbeit steht, kommt mir vor,
von Grund auf im Gegensatz zu der Haltung Francesco
Petrarcas und auch seiner Geisteskinder in der bisherigen Reihe des Preises. Vielleicht. Jedenfalls tritt Berger
von Anfang an, etwa seit seinem Roman G, als ein Wir-
Erzähler auf, und hat solch ein Zungenreden, der Autor
als Sprecher, in einem einzigen gemeinsamen, einigen-
den Rhythmus, seiner wechselnden Figuren, beibehal-
ten bis zu dem jüngsten epischen Durchlauf: *Flieder
und Flagge.* Wenn die Petrarca-Preisträger vor ihm
Erzähler waren, dann eben nicht Wir-, sondern Ich-
Erzähler (eingeschlossen der Namengeber selber); was
nicht heißt, ihr Ich verstelle sozusagen das Zentrum,
nein, es ist vielmehr der Brennpunkt, die mit dem
Verlauf des Erzählens sich als Person durchsichtig
schaffende Energie, durch welche die Erscheinungen
aufleuchten und wodurch sich am Ende, wenn sich der
Kreis schließt, mit einem einzelnen Auf-der-Welt-Sein
gleichsam die Welt selbst erzählt.
Noch deutlicher wird der Unterschied wohl an den
Poeten der Reihe, jenen, die, statt zu erzählen, rein in
Gedichten, oft stammelnd, sagen, »sachlich« (nach
Rilke): nicht einmal »Einzelkämpfer« oder »Einzelspie-
ler« wie etwa für solche Ich-Erzähler, wäre der Ausdruck für sie, sondern »Psalmisten«: so allein sind sie,
nicht mehr, wie im Alten Testament, bloß mit dem
Himmel, sondern auch mit den Dingen, daß, sowie sie

sich an diese richten, ihre Stimme – allerseltsamste Wirkung – unversehens universell tönt. John Berger dagegen, auch wenn er in seinen Büchern zwischendurch vom Erzählen läßt und ein Gedicht spricht (hier zumindest verwandt der Weise von *Aus dem Leben eines Taugenichts* oder *Ahnung und Gegenwart* Joseph von Eichendorffs), weiß, oder will?, sich dabei niemals allein; er ist immer der Sprecher, der spokesman: einer Gruppe, die sich nicht erst episodisch fügt aus dem Text, sondern von vornherein feststand, oder auch bloß eines Paares von Mann und Frau, und ebenso das Paar als im voraus sichere Sache, nicht erst im Ereignis des jeweiligen Gedichts.

John Berger versteht sich mit Leidenschaft als Sprecher, Mitgeher für die anderen, die Frauen, die einsamen Dörfler in Savoyen, die in die Metropolen verschlagenen (»immigrierten«, sagt er) Landmenschen; spricht jemand, gleichwie, »allein von sich«, wie er einmal notiert nach einem Fernsehgespräch mit dem Schauspieler Bruno Ganz, reagiert er gereizt, ja empört; ein leuchtendes Beispiel gegen dergleichen ist ihm dann ein Dichter wie Leopardi, welcher in seiner poetischen Arbeit alles darangesetzt habe, von der Armseligkeit wie Selbstfeier des einzelnen Ich abzusehen. Dabei, als Sprecher für die vielen – oder sollte ich gerecht bleiben und sagen: »*von* den vielen«? –, sieht sich John Berger freilich nicht als einen Chronisten, sondern als jemand, den er von diesem ausdrücklich unterscheidet, den er auch höher schätzt: eben als Erzähler, als Erzähler vom »Wir«, bis in die Träume mitspielend und verschworen mit seinen Helden, als die europäische Entsprechung zu García Márquez, an Hand dessen *Chronik eines ange-*

kündigten Todes Berger seine Entscheidung für den anteilnehmenden, rhythmischen Mit-Erzähler, gegen die mit den bloßen Sichtbarkeits-Tatsachen gestikulierenden Chronisten-Popanze begründet. John Berger ist nie allein in seiner Arbeit; er ist der Freund seiner Helden, und er bezeichnet diese auch wiederum ausdrücklich als seine Freunde, ob es seine Freunde, die Frauen, sind (welche bei ihm in der Regel »Hafen« und »Quellen« für alle die verlorenen Mannkinder und Kindermänner spielen), oder »meine Freunde, die bergamaskischen Holzfäller«.

Und hier zeigt sich danach ein nächstes Hindernis für ein ganz unbeschwertes Preisfest, vielleicht. John Berger, der Wir-Erzähler, indem er so tiefsinnig eingeht auf seine Gestalten, läßt diese immer wieder denken, träumen, fühlen oder sagen, was beim Lesen nicht als ein Eingehen, sondern eher als ein Eingriff oder eine Zutat erlebt werden kann; zu einer sonderbaren Bewunderung geradezu genötigt von dem Erzähler, werde ich aus dem Lesen gerissen, welches bei den Büchern Bergers hin und wieder ein reines Schauen werden kann (hoch Bergers Augen!), und muß mich fragen: Woher weiß der Erzähler das? Wie schafft er es, die Gedanken einer Stallmagd zu lesen, die geheimen Wünsche eines Almknechts? Wie kommt es, daß diese einsamen Häusler einer Gebirgsgegend plötzliche Dinge sagen, die alle Einsilbigkeit der Leute Knut Hamsuns (als deren Nachfolger oder -zügler die Typen des John Berger sonst immer wieder dünken) Lügen lehren mit ihren Feuerzungen wie einst im pfingstlichen Jerusalem und weiland in den ursozialistischen Katakombenstuben? Die häufigste Frage aber, die mein Lesen unterbrach, war jeweils ein: »Wie kann er das wissen? Wie kann er das sagen?«, und das waren die Momente, wo in mir der Leser John Bergers, und mit ihm seines Schutzheiligen Walter Benjamin, in Streit kam mit dem Leser Ludwig Wittgensteins, eines Heiligen einmal, der, statt Schutzformeln zu geben, ins Schweigen aussetzt. (Was kann man sagen? Wer spricht jetzt da? Ist das hier die Stimme des Holzfällers aus Bergamo oder die Stimme des Londoner Kunsterziehers J. B.?)

Es gilt nun, auch für das fragliche Fest, diesen Widerstreit fruchtbar zu machen, und das Verdienst John Bergers ist eben, daß das möglich scheint – vielleicht so: Etwa dreißig Jahre vor seiner Zeit gab es in Slowenien einen Mann, der von den Menschen auf dem Land vergleichbare Geschichten schrieb. Er verstand sich als Marxist, hatte einige Zeit in österreichischen Gefängnissen verbracht, eine andere Zeit im französischen Exil, und sein Schriftstellername war Prežihov Voranc. Seine Romane heißen zum Beispiel *Die Brandalm* und *Dober dob* und handeln, in der Nachfolge des späten Maxim Gorki, klar parteiisch, von den Kämpfen zwischen Slawen und Deutschen, dem Knechts- und Herrenvolk, auch zwischen Volks- und Sprachtreuen und Verrätern, in dem erst noch österreichisch, dann, durch die Abstimmung von 1920, jugoslawischen Tal, in dem Voranc, getauft als »Lovro Kuhar«, geboren ist, oder vom Zwangssoldatentum der slowenischen Burschen für das Habsburgerreich an der Karstfront im Ersten Weltkrieg. Diese Bücher, die eine ganz andere Geschichte schreiben, als unsereiner sie aus der Schule oder den einheimischen Chroniken erfuhr – deswegen sind sie auf immer lehrreich –, sind voll bedenkenloser Typisierungen, erträglich freilich dadurch, daß diese meistens enthusiastisch, gebildet aus Empörung und Kampf, selbst Teil des Kampfes sind.

Von den Bösen hier zu schweigen, entsprechen die Guten bei dem slowenischen Erzähler genau jenem Schema – bei John Bergers Dorfgeschichten, viel friedlicher und auch dezenter, etwa in dem Mann zu finden, der, nach einem Fabrikunfall ohne Beine, ein Zeitungsgeschäft betreibt und den reaktionären *Figaro,* versteckt ganz hinten unter den anderen Blättern, nur auf ausdrückliches Nachfragen und mit viel Verachtung für den Käufer herausrückt ... Später dann dichtet Voranc, der Kampf ist überstanden, seinen Dörflern nichts mehr an, er schreibt nur noch ihre Geschichten auf. Trotzdem tritt er nicht zurück in die Chronistenrolle, sondern bleibt der Erzähler: seine Sätze beben, wieder ähnlich denen John Bergers, von Teilnahme und, vor allem, von Selbsterlebtem. Es sind, frei von Parteiung jetzt, Erzählungen von der Mühsal der Landarbeiter, aber auch vom Stolz und der Freude dabei, und vor allem davon, wie durch die gemeinsame Arbeit Bruder und Schwester mit Vater und Mutter zur Familie werden. *Maiglöckchen* und *Wildwüchslinge,* so heißen etwa diese Bücher (deutsch im Drava-Verlag), und sie erzählen leichthändig und bringen die Dinge in die Schwebe, wie sonst nur ein Lied. Das kommt vielleicht daher, daß es jeweils Dinge sind, welche schon das Kind wahrgenommen hat, und vor allem das Kind. Sie sind nicht später, in der Mitte des Lebens, dazugekommen, sondern waren vom ersten Augenblick an Teil des Wahrnehmenden. So wie Stifters Erinnerung die Wälder seiner Kindheit als dunkle Flecken im Kind selbst, nicht außerhalb dieses erlebte, so entsinnt sich Voranc der Wegkreuzung im Wald, wo er als Kind an einem Ostertag zwei anderen Kindern aus zwei anderen Richtungen begegnete, wie eines eigenen Körperteils, und er kann sich so auch erlauben, zum Ausklang so eines Erzählens von nichts als einem Ort, einem gemeinsamen Dasitzen, einem Seiner-Wege-Gehen einen Liedsatz zu schreiben wie »Damals waren wir Kinder mit Sonne in den Augen«.

Auch Prežihov Voranc ist also ein Wir-Erzähler, und John Bergers Musizieren (das ist kein unrichtiges Wort für sein Schreiben) mit den Landdingen ist ein vergleichbares – wenn auch ganz und gar nicht ähnliches. Der Unterschied zwischen den beiden Weisen besteht, so scheint es mir, darin, daß der eine von Kind an die Dinge in sich hat, und der andere erst als Erwachsener sie hat sich erobern müssen (daher auch der so grundverschiedene Stil). Dazu kommt, daß es, nicht nur auf dem Lande natürlich, Dinge gibt, die sichtbar werden – und fürs Leben auch bleiben – einzig den Kindheitssinnen, einem später Dazugekommenen, auch wenn er sie wahrnimmt, bedeuten sie nichts, sind sie der Rede nicht wert, erzählen ihm vor allem keine Geschichte. So, auch wenn der Zugezogene meint, mit der Zeit dann zusammenzuwachsen mit den Alteingesessenen, werden, wenn sie sich gemeinsam besinnen und ins Erzählen geraten, vielleicht ganz verschiedene Dinge ein Gewicht bekommen: für den Spätergekommenen wird es der so besondere Sternenhimmel der Gegend sein, die bestimmte Felswand, die Blumen der Almen – für die Kinder des Ortes dagegen etwa ein Sonnenfleck auf der Friedhofsmauer, den das Kind an einem Herbsttag sah,

als es dem Blick der Großmutter folgte, wie sie sich kurz
aufrichtete von ihrer Arbeit auf dem Buchweizenfeld,
oder die Kuhle unten hinter den Zweigen der Tannen,
die man »Korb« nannte und wo, weil es dort nicht so
kalt war, das Wild überwinterte (und man selber vom
Schulweg ausruhte), oder die von Jahr zu Jahr und von
Haus zu Haus wechselnden Farben der Krusten des
Osterbrots. Auf den ersten Blick erscheinen die beiden
Erzählweisen zwar einstimmig, und doch ist dann ein
Unterschied zwischen dem Blick hauptsächlich auf die
augenfälligen, und dem hauptsächlich auf die unauffälli-
gen Dinge: jene, die Umriß und Gestalt annehmen nur
dem, der schon als Kind mit ihnen zusammen war. Und
selbstverständlich urteile ich damit nicht, sondern zeige
zwei Möglichkeiten, von Menschendingen zu erzählen,
feiere die eine nicht auf Kosten, sondern mit Hilfe der
anderen, freue mich, Leser, gerade an solcher Zweistim-
migkeit. (Und eine dritte Stimme gehört vielleicht noch
zu diesem Landfest, zum Beispiel jene Philippe Jaccottets, welche die Dinge, statt sie, so oder so, zu erzählen,
jenseits von Erwachsenen- und Kindertum, in ihrem
ewigen Jetzt! beschreibt, das Brennen der Kirschen tief
im Laubinnern jetzt!, das dem Wechsel von Wind und
Licht trotzende Grün der Quittenblätter mit dem unan-
tastbaren Weiß der Quittenblüten, den gebüschgrünen
Quellspiegel, auch alles das, mit Jaccottet und seinem
Cahier de verdure, stimmt zu dem Fest. Was zählt an
den drei so unterschiedlichen Weisen, ist der ihnen
gemeinsame Enthusiasmus.)
John Berger, der Wir-Erzähler. Das Besondere an seinen Büchern aber ist – was ihren Reiz ausmacht über
alles nur Politische hinaus, ihnen doch den universellen

Ansatz gibt –, daß er zwischendurch auch Erzähler seines Ich wird, und zwar manchmal sogar des Ich ohne Rollenspiel, kein Sprecher und Anwalt der anderen mehr, nicht mehr ihr selbsternannter Geschichtenschreiber, sondern des nackten kindlichen unbewaffneten, weder von Begriffen noch von Wissen starrenden Ich-selbst. Es ist das der John Berger, welcher nichts tut als gehen und sehen, und um darüber zu schreiben, braucht er keine Ideologie mehr, auch nicht die des »Erzählers«, er schreibt es einfach nieder, hin, auf, daneben, nebenhin, hintan oder dazwischen. Und es ist das ein Geher und Schauer, wie er selber einmal sagt, »mit gesenktem Kopf«, auf den Straßen und Wegen ganz Europas, ob er nur die Farbe des Staubs der Feldwege in Savoyen hintupft oder die Eigentümlichkeit des Asphalts einer jugoslawischen Straße skizziert. Dieser wunderbar anonyme Ich-Erzähler, anders als sein zeitweiliger Meister, der Wir-Redner J. B., welcher vorspielt, einen Reim schier auf alles zu haben, macht sich, frei wie er ist, unbewegt den Blick auf seine Wanderfüße, einen Reim auf gar nichts mehr.

Und hier trifft John Berger sich mit jenen anderen Petrarca-Einzelgehern, deren Wahlspruch Rolf Dieter Brinkmanns, des ersten Preisträgers, Romantitel sein könnte: *Keiner weiß mehr*. Mit Berger, der da rüstig und mutterseelenallein durch die spanische Savanne streift, tapert eben jener Brinkmann in wilder Begriffsstutzigkeit über die Via Appia, geht Ernst Meister mit schwerem Haupt in seinem Zimmer von Hagen auf und ab, wendet sich Sarah Kirsch, ganz stumme Erwartung, in die Heiden des Nordens, läßt Herbert Achternbusch auf einem Moränenhügel der Voralpen sich den Nacht-

wind ins Gesicht blasen, verschwindet Alfred Kolleritsch mit eingezogenem Kopf, philosophische Urlaute
ausstoßend, in den Windischen Büheln, tritt Zbigniew
Herbert, skeptisch die ewige Morgenluft witternd, mit
heraushängendem Hemd und einer frischen Packung
Zigaretten aus dem Drugstore von St.-Germain-des-
Prés, weicht Gerhard Meier auf seinem Rundweg durch
Niederbipp, am Fuße des Jura, unter wortlosen Ver-
wünschungen einem Hund aus und knüpft danach
unverzüglich an seine Ballade vom Wind und vom
Schneien an, weiß Tomas Tranströmer, jäh aufgewacht
in der Finsternis eines schwedischen Parkplatzes, nicht
mehr, wer er ist, begegnet Ilse Aichinger den Jägern an
den Flanken des Unterbergs mit ihrem klar gemurmel-
ten Gegenzauber, sieht Ludwig Hohl bei einem nächtlichen Weg an der Donau in einem Holzstoß das Schweigen der regelmäßigen Formen in der Stille, rezitiert auf
einem grünen Wiesenpfad unterhalb der Karawanken
Gustav Januš sein periodisches System der Elemente des
Tages, bedenkt beim Gehen durch sein hohenlohisches
Künzelsau Hermann Lenz die Dächer und Gräser mit
den Augen eines Schülers und zugleich eines guten
Schützen, wandeln Paul Wührs Blicke auf den Wellen
des Trasimener Sees und buchstabieren sich dort die
Silben zusammen für das Stammeln der nächsten
zornig-enthusiastischen Weltpredigt. Den John Berger
mit dem zur Erde, zum »farbigen Abglanz«, an dem
»wir die Welt haben«, gehefteten Blick, sehe ich in
diesem Zug gehen nicht als den Anführer, nicht als den
Wortführer: Er geht als einer unter vielen, er geht mit,
unauffällig. Auffällig an seinen Schritten, den Geh- wie
den Schreibschritten, ist vielleicht einer von fünfzig,

wie bei seinen Mitgehern auch; auf diesen einen Schritt kommt es aber vielleicht an.

Ich, du und wir wollen uns freuen, John Berger zuzuschauen bei seinem Weiter- und Weitergehen.

Kleiner Versuch über den Dritten

»*Er* ist die Ferne, / zu der er hinsteigt, / Zeit, einge-
spielt, / Ereignis, ausgeschlossenes / Drittes, das den /
Wanderer mitnimmt.« (Aus dem Gedicht *Arnold
Schönberg, op. 37 / Ein Naturlied*)
Ausgeschlossenes Drittes, das den Wanderer mitnimmt: Das ausgeschlossene Dritte, das ist die Sprech-
weise der Gedichte von Alfred Kolleritsch, und der
Wanderer, das ist der Leser. Ehe diese Weise sich endlich hörbar machte, haben vielerlei Stimmen auf den
Wanderer eingeredet, äußere und innere, und es war ein
Durcheinander der Stimmen, welches ihm die Wander-
luft ausgehen ließ, die Wandereraugen trübte, die Wan-
dererohren verschloß: von außen die Schlag- und Schla-
gerzeilen, die Meinungen, die Urteile, die Alternativen,
die Reklamesprüche, die Zeitansagen, die gefälschten
Volkslieder, im Innern alles das zwangsweise wiederholt, und zusätzlich gestört von dem Stimmengewirr
der Selbstbespiegelung, der Selbstbeurteilung, der
Selbsterhöhung, der Selbstverdammung. Diese Stimmen, dem Wanderer zusetzend und ihn, mochte er sich
auch geradeaus bewegen, im Kreis irren lassend, waren
unzählbar – doch mit dem Augenblick, da jene Stimme,
jene des Gedichts, vernehmlich wurde, weder außen
noch innen, sondern eben von einer dritten Seite, »aus-
geschlossen« oder unabhängig von dem endlosen Gerede, erschien sie, neben dessen Unordnung, im Bild
einer ordnenden Zahl, einer Ordnungszahl, und zwar
einer bestimmten: auf die Hunderte, die Tausende, die

Myriaden der Durcheinanderredner folgte, sich erhebend aus der ganz anderen Richtung, der einzelne, bestimmende Dritte. »DIE ZAHLEN, im Bund / mit der Bilder Verhängnis / und Gegen-/verhängnis«, so bestimmte es, in einer früheren Lese-Zeit, ein anderer »Dritter«, Paul Celan.

Aber was bestimmt oder ordnet dem Wanderer jener Dritte? Und wie geschieht es, daß er bestimmt? Und »gibt es einen Klang in diesen Zeichen«? (Kolleritsch) Und höre ich Leser von der Seite jenes Dritten überhaupt so etwas wie eine Stimme?

Was der Dritte, indem er da ist, in der Weise des Gedichts, und indem ich, der Leser, zulasse, daß er einsetzt, bei mir bewirkt, ist zunächst einmal ein Verstummen, ein Sich-Legen all der inneren und äußeren Stimmen: Ich werde durch ihn zum Schweigen gebracht, endlich – endlich kann ich verstummen –, und von den Nachrichten und Schlagzeilen werde ich durch ihn nicht etwa abgelenkt, sondern ich kann sie überspringen, ein allein durch mein Aufhorchen geschehender Beiseitesprung hinaus in eine Weite, welche sich aufgetan hat, als dort einer, ein einzelner, auf einmal, überrumpelnd, mich hören ließ, was weder etwas meinte noch etwas bedeutete. Jetzt ist Platz da für das Dritte, für das Gedicht, und dieser Platz reicht von meinem innersten Ohr bis an eine Begrenzung, die nicht benennbar ist, nur umschreibbar mit dem Wort »Ferne«. Und so zum Beispiel läßt das ferne Dritte sich und mich hören: »Dahin ausgedehnt: als Leib. / Der Raum braucht eine Grenze, / in ihm redet jede Welt / und spielt und gibt das Nachspiel / (den Göttern und Maschinen).« Nicht allein für den Leser hat mit solchen

Zeilen das Dritte eingesetzt, sondern auch für den Schreiber selber; anders als das bekannte lyrische Ich oder vielleicht ein konkreter Poet tritt Alfred Kolleritsch in seinen Gedichten nie als der Autor oder Urheber auf – ist tatsächlich »nur« der Schreiber: dieser hat dem Dritten nachgesprochen und es wiederholt, ebenso wie jetzt der Leser.

Ja, jener oder jenes Dritte bestimmt, ordnet, wirkt, läßt sich hören aus einer, meinungs- und eindeutigkeitsfreien, Ferne: diese seine besondere Zone ist seine Haupteigenschaft und seine erste Wirkung; von so weit her kommen seine Wortfolgen, daß sie, und hätte ich die Buchstaben auch nah vor Augen, wie gesendet erscheinen. »Aus dem Wollen hinaus. Tiefer / zu einer anderen Grenze, der Schwung, / der sie findet, ist der Anfang ...« Ihre zweite Wirkung jedoch, an der Stelle gleichwelchen Sinns, oder etwa auch nur eines mich vereinnahmenden Rhythmus, ist ihr *Tonfall*, ein Tonfall, welcher den Eindruck des Fernen noch unterstützt. Und der Tonfall des Gedichtes ist so, daß er schon im Ansetzen ein Machtwort spricht: Jetzt, nach all dem Gerede, bin ich an der Reihe, das Dritte, das Gedicht. Die Machtworte des Gedichts freilich befehlen nichts, gebieten nicht, klagen nicht an, klären nicht auf, offenbaren nichts – sie wissen nicht mehr als ich oder du, bleiben, so klar und fest auch ihr Tonfall ist, unverständlich, undeutbar, unentschlüsselbar, ja sogar ohne sich je zu einem vertrauten Bild zu fügen oder durch auch nur ein einziges Wortspiel sich Nähe und Einverständnis zu erschwindeln, sie bleiben entschieden im Dunkeln, wo ihr Reich ist, und nachvollziehbar an ihnen ist nicht ihr Sinn, vielmehr ihr Ernst, welchen sie durchhalten vom ersten Satz bis zum letzten: ihre krönende Wirkung – Autorität ohne Autor, allersanfteste Autorität, die nur eingreift und wirksam wird, wenn ich Leser für sie bereit bin und sie will. »Im Zimmer ist Sonne, / eine Blume bleibt, / eine Hand sucht die Geschichte der anderen. / Die Zeit nimmt uns hin. / Ihr einziger Anspruch.« Zum Zeugnis dazu der Satz eines anderen Dritten, René Chars, ungefähr so: »Eine Zeit wird kommen, da nur noch eine Sprache, die wir nicht verstehen, uns retten wird.«

Paradox des Dritten schließlich, daß er oder es sich zwar hören läßt, aus der Ferne, in einem besonderen Tonfall, als »die andere Nähe, die unbegegnete, / die der Welt ihre Flügel gab«, aber zugleich ohne Klang, ja ohne Stimme ist. Das Gedicht lesend vernehme ich das Dritte »jenseits«: jenseits des Klangvollen und Stimmhaften, als ein skandiertes Schweigen, parallel zu dem Rauschen der Bäume, eben als ein *Naturlied* (ein »Liedrest« bei Paul Celan) – nicht »Lied der Natur«, sondern Lied eines Menschen parallel zur Natur, diese so »realisierend«, in dem Sinn, wie für Cézanne das Malen ein Realisieren parallel zur Natur war.

So lese ich jedenfalls die Gedichte des Alfred Kolleritsch; oder so, mit der Vorstellung des Dritten jenseits von uns beiden, gelingt mir das Lesen. Dieses kann dabei weder ein Überfliegen, noch ein Mich-Berauschen, ja nicht einmal das übliche poetische Anklingen-Lassen sein (es sei denn, ich nennte den Schweigemoment, welchen der Text mir zusendet, einen »Anklang«). Aber es wird dazu von mir zum anderen auch kein eigenes Buchstabieren, Tüfteln oder ein mich abstumpfendes, einschränkendes, verkleinerndes Lernen gefordert: »einfach so«, indem ich aufhorche und mich einlasse, erfahre ich durch das Dritte, das Gedicht, mein Wissen. »Die Augenlust ... setzt die Welt aus, Riegel zerreißen, / erstaunt im Begehren, das anderes sucht.«

Unser gemeinsamer Dritter ist zwar, in Kolleritschs Weise, besonders, aber keineswegs einzig oder einmalig: Unter vielen Gestalten ist er uns schon begegnet und hat sich hören lassen, als der Orpheus, der die wilden Tiere zum Lauschen brachte; als der Daniel in der Löwengrube; als die Jünglinge im Feuerofen; als »Jener«, der nicht im Donner und Sturm vernehmbar wird, sondern erst ...; als Fragment des Heraklit; als »Sanftes Gesetz«, wie es Adalbert Stifter erfuhr und aufzeichnete; als rufender Muezzin; als der endlos seine Klagepsalmen murmelnde Wahnsinnige in seinem Gitterbett; als der so unverständliche wie begeisterte Traumredner; als die plötzlich zungenredenden Kinder; als der fast stimmlose Sänger des »Cottonfield Blues«.

Läßt sich demnach sagen, was das Wesen jenes Dritten ist? Nein (denn es ist für sich schon ein Wesen, ein Eigenwesen: das »Gedichtwesen« – im Sinn des »Wesens der Azurblauen Höhle« oder des »Wesens der Gelben Schlucht« das Wesen des Gedichts). Aber vielleicht läßt es sich umschreiben oder apostrophieren, zum Beispiel so wie in Platons Atlantis-Text *Kritias* als »der Gott, welcher in Wirklichkeit schon längst, in der Rede dagegen soeben erst entstand ...«, oder es läßt sich einfach hören aus dem Gedicht selbst, aus dem »Wenn das Denken die Pfingst-/ schneise herabkommt, endlich ...« (Paul Celan) ebenso wie aus dem »Wir können nicht zum Schweigen bringen, / wer wir sind« (Alfred Kolleritsch).

Des Privatdetektivs eigener Fall

Über Peter Stephan Jungk und seinen Roman ›Tigor‹

Daß ich zu Peter Stephan Jungks Buch *Tigor* etwas schreibe, ist ein Freundschaftsdienst. Aber wer sagt, daß von einem Freundschaftsdienst nicht auch ein Dritter etwas haben kann – im Fall hier dieser und jener Leser?

Ich kenne Peter Jungk fast schon seit seinen Kindes- oder wenigstens Halbwüchsigen-Beinen: Der damals etwa Sechzehnjährige, ironischer Schüler einer Rudolf-Steiner-Schule, gehätscheltes, freilich um so weniger umhegtes Einzelkind, schrieb bereits, jedoch nicht darauflos, sondern fühlbar aus sich heraus, blumig Unverständliches, das mir aber glaubhaft erschien durch seinen Rhythmus, auch das Abbrechen immer im richtigen Moment, Zeugnisse eines Zungenredens, eines einsamen (daher statt des Redens das Schreiben). Der Heranwachsende spielte auch in seinen Texten immer noch Kind und gab sich überhaupt als »Kind für Kinder«; als das »große Kind« für alle möglichen kleineren; und diese Haltung, kommt mir vor, geht bis heute, da er bald vierzig wird, durch sein Leben, und ebenso sein Schreiben – wenngleich das Kindspielen und mit Kindern Spielen des Erwachsenen namens Tigor in Jungks Roman jetzt dramatisch geworden ist, ein oft beklemmender Erzähltanz am Rand der Verlorenheit: Der Buchheld Tigor spielt im Lauf der Begebenheiten geradezu zwanghaft Kind, plappert wie ein Kind, versteckt sich wie ein Kind, stellt kindgleich Sachen an, bricht nach

Kinderweise auch immer wieder seine eben angefangenen Spiele ab – ohne sein Kindspielen und mit Kindern Spielen geriete er aus seiner letztmöglichen Wirklichkeit (und als Tigor schließlich sozusagen Ernst macht und aus dem Spielkreis tritt, geht er in der Tat am Ende ja verloren).

Tigor ist Peter Jungks viertes Buch; es ist, in meinen Augen, sein erstes, worin er sich ausfaltet – entfaltet; das Buch hat Flügel, und wenn es auch eher zerschlissene, zusammengestümperte und -geschusterte sind, nicht wenig Diebsgut und Billigware darin eingeflochten, und wenn sie auch nicht gar weit und hoch tragen, ihr Aufschwung nicht reicht für den von Tigor so ersehnten Gipfel des Ararat: Flügel hat das Buch doch, gerade in seiner stellenweisen Kümmerlichkeit berührende und bewegende.

Das heißt nun freilich nicht, daß die drei vorangegangenen Bücher Jungks weniger der Rede und des Lesens wert sind: Nein, ein jedes von ihnen hat eine Notwendigkeit und eine Art. Das erste, über zehn Jahre alt, mit dem Titel *Stechpalmenwald,* erzählt gleichsam im Vorbeigehen, streiflichtförmig, von der Hollywood-Landschaft, wo der junge Autor eine Zeitlang Filmstudent war. »Hollywood«, das ist die »Stechpalme«, und so wirkt auch das kleine Buch: Aus dem ungreifbaren, unzugänglichen Hollywood wird ein greifbarer, anschaulicher, nach allen Seiten sich öffnender Stechpalmenwald. Ebenso eigensinnig ist dann auch die Erzählung, oder ist es ein Selbst-Bericht?, *Rundgang,* die in Wahrheit mehrere Rundgänge in der Stadt Jerusalem skizziert, oder nachzieht?, oder projektiert, wohin ein etwa dreißigjähriger, kosmopolitisch aufgewachsener

Jude aufgebrochen ist, um sich dort, gehend, fragend, lernend, lesend, auch nichtstuend und schlicht im Kreise irrend, eine, mit den Jahren doch mehr und mehr entbehrte Angehörigkeit, zu einem Volk? einer Sprache? einer Schrift? einer Erdlandschaft?, anzueignen. Das dritte Buch Peter Jungks ist, sozusagen logisch, ein fast selbstloses und dabei eine gewaltige und, für einmal ist ein sonst eher blödsinniges Wort am Platz, »mannhafte« Leistung: Es ist seine Biographie Franz Werfels, das Ergebnis einer mehrjährigen, verbohrten, verzweifelten, belustigten und dabei stetig gewissenhaften Spurensuche, eine zugleich geographische, geologische, archäologische und philologische Forschungsarbeit, mit gehörig vielen Abweichungen und Zerstreuungen, allesamt geführt mit zunehmend leichter Hand, so daß der Leser von dem Autor am Ende ein Gefühl wie von jenem Privatdetektiv hat, welcher zu Beginn eher lustlos einen ihm kümmerlich erscheinenden Auftrag angegangen ist und dann an dessen Hand, mehr und mehr begeistert, nicht nur eine einzelne Stadt, sondern einen ganzen Weltkreis umrundet.

Viel von dieser Bewegung des Suchens, dem jähen Abbrechen, dem Zickzack von Ort zu Ort, von einem Akteur zum andern, der Sprunghaftigkeit, ist auch jetzt im *Tigor,* Peter Jungks erstem »Roman«, zu erleben. Nur ist an die Stelle der Figur des Franz Werfel hier ein leerer Umriß gerückt, besser gesagt etwas Chimärisches, welches an der einen Stelle vielleicht die Gestalt einer Lichtung in einem Gebirgswald, an der andern die einer Frau, dann die einer Gruppe von Arbeitsfreunden, endlich eben die des Arche-Noah-Berges Ararat an der Grenze zwischen Armenien und der Türkei annimmt. »Chimäre« soll auch besagen: Die einzelnen Gestalten, Figuren, Bilder sind jeweils ohne Bestand, wechseln von Augenblick zu Augenblick, von Kapitel zu Kapitel.

Denkbar, daß derartiges, jähes, so grundloses wie unerklärtes Umspringen und auch Sichverflüchtigen der jeweiligen Leitbilder einen Leser des Buchs am Mitgehen und Mitspielen hindert: Mich Leser hat das Chimärische, einmal Halluzinatorische, dann wieder jämmerlich Leere des *Tigor* eher auf die Sprünge gebracht.

Tigor, das ist der Name des seltsamen Helden, eines Mathematikers altösterreichisch-triestinischer Abstammung, welcher an einer amerikanischen Universität lehrt und bei einem Kongreß eben in seinem Triest den Zusammenbruch seiner Formel und damit auch seiner Lebensform erlebt. Der Vierzigjährige hat erkannt, daß sein »Modell einer Schneeflockenkonstante«, von ihm konstruiert schon als Jungem, unrichtig ist; recht haben vielmehr die neuangekommenen Chaosforscher. Und er erkennt damit zugleich, daß er gescheitert ist, denn die Mathematik, wie er sie sieht, ist eine »Kinderwissenschaft«, nur Fastkinder hätten da Entdeckungen zu vollbringen; bereits ein Dreißigjähriger ohne mathematische Spur sei für immer aus dem Spiel.

So verschwindet nun Tigor aus seiner gewohnten Welt, zunächst in die Wildnis. Er verbringt einige Tage mutterseelenallein hoch über jeder Zivilisation auf einer Lichtung eines Südtiroler Berghangs, im Experiment, möglichst lange ohne Dach überm Kopf, im Freien, zu leben. Es ist, so erzählt er selbst, der erste Schritt, der in seiner Existenz rein aus eigenem Antrieb geschieht; Tigor ist sozusagen der Detektiv, der sich den Auftrag höchstselbst erteilt. Er schläft in einem Daunensack und lebt von Baumrinden, Gräsern, Brennesseln; auch eine Quelle ist zur Hand.

Wie die späteren Begebenheiten, so ist bereits diese erste aus Tigors neuem Leben, endlich auf eigene Faust, »fern der Mutter«, und nicht bloß ihr, einerseits romantische Idee, andererseits spürbare Tatsächlichkeit, greifbar, anschaulich: So hat seine ganze Geschichte die Struktur eines Abenteuerromans, indessen die einzelnen Partikel geradezu dokumentarisch echt, persönlich gesehen, gehört, geschmeckt wirken; und die seltsame Spannung zwischen diesen beiden, den ideellen Fertigteilen und den unentwegten authentischen Einzelfakten, macht stellenweise auch eines der Vergnügen beim Lesen aus (kann dabei freilich an anderen Stellen wieder abfallen ins Flachland eines gigantischen Comic strip).

So weiß Tigor zu erzählen, daß die Innenschicht der Baumrindennahrung dort in seinem »Pflanzenzimmer« nach Minze schmeckte, die Kleeblätter nach Zitrone, und wie ihm der Urin brannte auf seine Nesselmahlzeiten. Wie weiland Thoreaus Naturheld Walden will Tigor in der Wildnis Vorarbeit leisten für ein Leben jenseits der Zivilisation, mit den bloßen Händen auf Fischfang gehend, aus den Silexsteinen Feuer schlagend. Nur als er sofort anfängt, in der Lichtung Steine zu einem Obdach aufzuschichten, geschieht das bei Waldens Nachkömmling gegen dessen Absicht (freier Himmel), instinktiv, kreatürlich (so bricht er den Bau auch bewußt ab), und der Nachahmer entwickelt sich keineswegs zum Helden, sondern flieht schon bald, nach sieben Tagen (immerhin!) aus der Natur, in Sterbensangst, so wie er zuvor dem Kongreßhaus entwichen ist, wechselt jäh die Szenerie, wie dann ja auch die anschließenden. Eben noch beim fanatischen Umgraben, tiefer und tiefer ins Erdreich, seiner Robinson-Lichtung, nimmt er als Sonderling jetzt Platz vor einer Seezunge am Küchentisch des Nobelrestaurants von Belluno und hält mit dem Schwadronieren von seinem Abenteuer die jugendlichen Kellner von der Arbeit ab, hat ein paar Leseaugenblicke danach schon Platz oder Unterschlupf genommen in der Wohnung seines geliebten alten Onkels – allein von dessen Anwesenheit hatte einst das Kind sich beschenkt gefühlt – im Herzen der Lichterstadt Paris, und nach diesem erneuten Abruptwechsel könnte manch ein Leser sich schon fragen, was denn mit jenen »zähen Neubeginnflügeln« geschehen sei, welche Tigor in seinem Pflanzenzimmer angeblich gewachsen waren.

Und wieder schlägt der flüchtige Mathematiker einen sonderbaren Haken: Er wird Bühnenarbeiter, im Pariser Odeonstheater beim Luxemburggarten. Und hier scheint er zunächst auch in Sicherheit. Die schwere körperliche Arbeit, entrückt dem Tageslicht, wie in einem Bergwerk, im Verein mit ähnlich verlorenen Genossen, von denen einige mit der Zeit zu Tigors Freunden werden, führt zu einer namenlosen Brüderlichkeit, welche der ohne Geschwister aufgewachsene Held seinen Lebtag lang entbehrt hat. Hier, am Rand der großen Bühne, und dabei doch völlig im Abseits, fühlt Tigor sich mehr und mehr an seinem Platz. Die Welt der Bühnenwerkleute wird mit großen Augen gesehen und steht so, meines Wissens jedenfalls, zum ersten Mal im Buch. Dieses, in seinem langen Mittelteil da, spielt auch, trotz des stetig künstlichen Lichts, in vielen Farben und bekommt zudem, in der teilnahmsvollen Schilderung der mit im Abseits Tätigen, eine brüchige, dabei um so glaubhaftere Herzlichkeit (als entspräche solche Brüchigkeit dem leibhaften Herzfehler des Protagonisten: Er ist mit einem »Loch im Herzen« geboren).

Noch wohliger wird es um ihn, als er noch weiter, ins äußerste Abseits jener nächtlichen Theaterwelt gerät: Von den Parterre-Arbeitern wird er hinauf zum letzten Plafond, zu den von allem zentralen Geschehen am weitesten entrückten Schnürboden-Leuten, den *cintriers*, verbannt; in jenem Finis terrae, in der Gesellschaft ehemaliger Seeleute, die fortgesetzt ihre Knoten knüpfen und Leser und Philosophen sind, spüre ich Tigor zu Hause. Dieser Teil des Buchs, bei allen Burlesken, ist voll des schönen Gleichmaßes, erlöst von der sonstigen, manchmal auch aufreizend unernsten Sprunghaftigkeit. Eine Episode gibt die andre, eine jede zugleich innig gefühlt – gesehen – niedergeschrieben, und so auch nie zu lang oder zu kurz: rhythmisches Erzählen. Bezeichnend für solch episodische Heimatlichkeit ist auch, daß der Held hier in der Zivilisation, zum Beispiel im Jardin du Luxembourg, die Vögel »weit aufmerksamer« beobachten kann, »als ihm dies im Hochwald je gelungen war«. Und die Kinder, die er hier sieht, verfolgt er nicht zwanghaft, sondern, wie in früheren Zeiten, sie spielen durch sein Blickfeld.

Doch immer noch treibt ihn manchmal die Unruhe, und er nimmt nachts ein Taxi zur Atlantikküste, oder er kratzt mitten im Park beim Theater den Boden auf, gräbt, wie zuvor in der Wildnis, mit bloßen Händen die Erde um, reicht hinein bis zu den Ellenbogen. Inzwi schen aber war ihm schon bei der Arbeit der Kreislauf zusammengebrochen, im Delirium hatte er von Holzsplittern im Eis des Bergs Ararat phantasiert, der zu Hilfe geholte Arzt war entsprechend ein Armenier gewesen – ist nicht auch »Tigor« ein Name aus der Region? –, und der hatte ihn dann auf die Reise dorthin geschickt, in die »Hoffnung«, aus »Sehnsucht«. Und wieder fällt in der Geschichte das Wort vom »Neubeginn« im Land von Noahs Arche, freilich nicht mehr bloß eines einzelnen; allgemein.

Die Reise nun aber, mit welcher Tigors Abenteuer endlich ganz ernst werden sollte, führt ihn, gleich schon mit dem Antritt, eher in die Unwirklichkeit. Sämtliche Orte, Personen, ob in Moskau oder dann in Erewan oder bei den armenischen Klöstern am Ararat-Fuß, werden zwar bildhaft, jedoch zugleich Zerrbilder, possenhaft selbst der vernebelte heilige Berg. Das ist immer noch amüsante Lektüre, nur ist, wie eine gute französische Redensart das besagt, »das Herz nicht mehr dabei«.

Da wirken dann auch die auftretenden Kinder nur noch flink herbeizitiert, verlieren ihre Gegenwärtigkeit zugunsten literarischer Reminiszenzen, so daß jenes eine Mädchen, welches Tigor sofort an Alice im Wunderland erinnert, ihn mit Recht beschimpft, denn sie will nichts als, jetzt!, geküßt werden (was auch geschieht, »so behutsam, wie er noch niemals eine Frau geküßt hatte«). Freilich ist das nicht einmal Episode, so abrupt, so unvermittelt, so »unrhythmisch« fällt das Kind, wie inzwischen auch die anderen Figuren, aus dem Buch. Da wünschte ich Leser mir den flüchtigen Helden zurück unter seine Schnürbodenmänner in Paris, und daß seine Geschichte mit denen dort, so jäh abgebrochen, weiterginge.

Statt dessen nimmt gegen Ende des Romans die Vereinzelung, nicht allein Tigors, sondern auch der Szenerien, noch zu. Kann sein, daß ein anderer Leser das als die Wahrheit der Erzählung empfindet. Ich freilich habe das Weggehen Tigors von seinen Leuten – immer wieder –, seinen Aufbruch schließlich, nach einer grotesken Weltreise an den türkischen Bergfuß jenseits der feindlichen Grenze, in die Menschenleere, gipfelwärts, als ein Verlassen, gar ein mutwilliges, bedauert, so wie es für mich am Schluß ein ebenso mutwilliges Verlassen des Autors, begangen an seinem Helden, war, den Tigor im Gletscher umkommen zu lassen. Hoffentlich bist du, Peter Jungk, nach Paul Nizon und seinem *Stolz* usw. usf., der letzte, der seinen Buchbruder auf der letzten Seite zum einsamen Erfrieren verdammt. Denn wie heißt doch ein bekanntes Grundgesetz der Kunst? »Rette deinen Helden« (so er in der Tat einer ist).

»Bedauert« habe ich Leser, wie gesagt, solch leichtfertige Auskehr des Buchs *Tigor* und wollte eben damit andeuten, wie beteiligt ich bis dorthin war. Denn, ähnlich wie einer seiner Theaterfreunde vom »Odéon«, hatte ich mich an des Helden »Gegenwart, an sein angenehm unruhiges Wesen gewöhnt«; vielleicht auch wegen der Art, in der von ihm erzählt wurde: eine Sprache von anmutiger, das heißt hell entschlossener Banalität – kaum ein Satz, welcher als ganzer zum Zitieren verlockte –, im Verein mit einem traumwandlerisch sicheren Abbrechen der Szenen jeweils im richtigen Moment, einem großen Sprung woandershin, wodurch die Erzählung weithin vibriert von jener Elektrizität der Leerstellen, welche ihr das Geheimnis geben; das seine Abenteuerkraft freilich dann endgültig verliert mit dem windigen Aufbruch in die Gletscherregion.

Ob demnach nicht die Fragmente von Noahs Arche, statt in der Natur, besser fortgesetzt zu suchen gewesen wären oben auf dem Schnürboden des Pariser Theaters, im Kreis der Arbeitsfreunde – »mit den Kameraden im Finstern zu flüstern, ließ ihm Schauer über Nacken und Rücken laufen«? Im Unterholz des Stechpalmenwalds, im Rundgang auf den Hügeln ergiebiger als gipfelwärts?

So mitgegangen, lieber Autor, bin ich ja mit deinem flickenhaften Helden, daß ich ihn mir, statt von einem zwitterhaften, mitteleuropäisch-armenischen Namen in die Irre geschickt, geleitet gewünscht hätte von einem klar jüdischen und ihn mir jetzt, statt in einer irdischen Eisdecke verscharrt, auf einem Stern der Ungeborenen neu zur Welt, in ein neues Buch gekommen wünsche.

Bis dahin gebührt freilich auch dem Buch *Tigor* allein, mitsamt seinem unbeholfenen Flügelschlagen – nicht meine Bewunderung, nein, etwas weit mehr einem Schreibwerk Entsprechendes: meine Achtung und meine distanzierte Zuneigung.

Abschied des Träumers vom Neunten Land

Erinnerung an Slowenien

Es sind vielerlei Gründe genannt worden für einen eigenen, regelrechten Staat mit Namen »Republik Slowenien«. Damit diese Gründe mir aber im einzelnen denkbar, oder faßbar, oder eingängig würden, müßte ich sie erst einmal sehen; das Hauptwort »Grund« kann, für mich jedenfalls, nur bestehen zusammen mit dem Zeitwort »sehen«. Und ich sehe keinen Grund, keinen einzigen – nicht einmal den sogenannten »großserbischen Panzerkommunismus« – für den Staat Slowenien; nichts als eine vollendete Tatsache. Und ebenso sehe ich nicht die Gründe für einen »Staat Kroatien«. Diese andere Tatsache freilich geht mich weniger an (doch nicht einmal dessen bin ich mir sicher). Das Land Slowenien und die zwei Millionen Köpfe des slowenischen Volks hingegen betrachte ich als eine der wenigen Sachen, welche bei mir zusammengehören mit dem Beiwort »mein«; Sache nicht meines Besitzes, sondern meines Lebens.

Damit spiele ich mich keineswegs als »Slowene« auf. Zwar bin ich in einem Kärntner Dorf geboren, wo seinerzeit, im Zweiten Weltkrieg, noch die Mehrheit, nein, die Gesamtheit österreichisch-slowenisch war und auch in der entsprechenden Mundart miteinander verkehrte, und meine Mutter sah sich, beeinflußt vor allem durch den ältesten Bruder, der, jenseits der Grenze, im jugoslawisch-slowenischen Maribor den Obstbau studierte, in ihrer Mädchenzeit als eine aus jenem Volk (später, nach dem Krieg, nur noch unter anderm); aber mein Vater war ein deutscher Soldat, und Deutsch ist meine Sprache geworden, durch die erste Kindheit in Ost-Berlin und, auf andre Weise, durch die anschließende, in dem »mit der Zeit« mehr und mehr verschwindenden und verklingenden alten Slowenendorf, das selbst die Bewohner endlich nur noch zum Spaß »Stara Vas« hießen; dem Kind aus der deutschen Großstadt waren die slawischen Urlaute ein Greuel in den Ohren, es fuhr bei Gelegenheit sogar der eigenen Mutter deswegen über den Mund, gerade ihr.

Im Lauf der Jahre, vor allem wohl, indem ich Bilder bekam, *erzählt* bekam von den slowenischen Vorfahren, wurde das anders, wie es natürlich ist (oder natürlich sein sollte). Ein »Slowene« jedoch wurde ich nie, nicht einmal, obwohl ich die Sprache inzwischen halbwegs lesen kann, ein »halber«; wenn ich mich heutzutage in so etwas wie einem Volk sehe, dann in jenem der Niemande – was zeitweilig heilsam sein kann, zeitweise heillos ist (in den Momenten, da ich mir selbst die Zusammengehörigkeit der über den Erdball streunenden Niemande nicht mehr einbilden kann).

Und trotzdem habe ich mich in meinem Leben nirgends auf der Welt als Fremder so zu Hause gefühlt wie in dem Land Slowenien. Lange Jahre ging es mir dort so, über ein Vierteljahrhundert, bis ich schon glaubte, auf diese Sache sei einmal Verlaß, und an den dortigen Orten gebe es in der Tat, anders als den trügerischen der Kindheit, aus der ich und du uns entgegen dem romantischen Gerücht mir nichts dir nichts vertrieben sahen, so etwas wie eine Dauer.

Zu Hause in Slowenien, Jugoslawien? In der Wirklichkeit. Es war das genaue Gegenteil zu jener Unwirklichkeit, wie sie in Grausen versetzt den Schreiber der »Briefe eines Zurückgekehrten« (Hofmannsthal), welcher nach langer Abwesenheit von seinen deutschen Landen vor keinem einzigen Gegenstand da mehr dessen Existenz fühlt: Kein Krug wirkt mehr als Ding Krug, kein Tisch steht mehr da als Tisch; sämtliche Dinge in dem Gebiet Deutschland erscheinen dem Zurückgekehrten als »gegenstandslos«. Wie gegenständlich aber wurden dafür mir durch die Jahre, jedesmal, gleich beim wiederholten Überschreiten der Grenze, die Dinge in Slowenien: Sie entzogen sich nicht – wie das meiste inzwischen nicht bloß in Deutschland, sondern überall in der Westwelt –, sie gingen einem zur Hand. Ein Flußübergang ließ sich spüren als Brücke; eine Wasserfläche wurde zum See; der Gehende fühlte sich immer wieder von einem Hügelzug, einer Häuserreihe, einem Obstgarten begleitet, der Innehaltende dann von etwas ebenso Leibhaftigem umgeben, wobei das Gemeinsame all dieser Dinge die gewisse herzhafte Unscheinbarkeit gewesen ist, eine Allerwelthaftigkeit: eben das Wirkliche, welches wie wohl nichts sonst jenes Zuhause-Gefühl des »Das ist es, jetzt bin ich endlich hier!« ermöglicht.

Über die Einzelheiten hinaus ist eine lange Zeit das ganze Land als solch ein Ding wirksam gewesen, als ein Land der Wirklichkeit, und, wie mir schien, nicht allein für den Besucher, auch für die Ansässigen; wie sonst wären sie einem so ungleich wirklicher begegnet, in ihrer Art zu gehen, zu reden, zu schauen und vor allem zu übersehen, als die Völker jenseits seiner Grenzen, der italienischen ebenso wie der österreichischen? In dem Land Slowenien und bei den Slowenen habe ich mich in der Tat immer wieder als ein Gast der Wirklichkeit fühlen können, da beim Wein (des Karstes oder der Windischen Bühel), da beim Kirchturm (von Hrastovlje auf Istrien oder von Sveti Janez am Wocheiner See), da im Bus (von Tolmin nach Nova Gorica, von Ljubljana nach Novo Mesto, von Koper nach Divača), da im herzhaft kargen Gastzimmer von Most na Soči oder Vipava, da beim Sich-Öffnen der Ohren für das so dingnahe, so sanftmütige, so ungekünstelt-anmutige Slowenisch – auch das gab Wirklichkeit – allüberall im Land.

Daß dergleichen Erfahrungen auch meine Einbildung oder sogar überhaupt ein Trug sein könnten: Nicht erst die Vorfälle des Juni und Juli 1991 jetzt, von den Slowenen selbst teils mit Trauer, teils mit Stolz – eher mehr mit diesem – »vojna«, Krieg, genannt, gaben mir das zu bedenken. Hofmannsthals Brief-Erzählung von der Unwirklichkeit, oder Unvorhandenheit, oder Un-beschreiblichkeit der Dinge in den deutschen Räumen ist entstanden einige Jahre vor dem Ausbruch des Ersten Weltkriegs. Und ähnlich erging es, seit einiger Zeit schon, auch mir mit den zuvor so gegenwärtigen slowenischen Dingen, Landschaften, dem ganzen Land. Die Geschichtslosigkeit, welche jenes reine Gegenwärtigsein vielleicht ermöglicht hatte, war Schein gewesen (wenn auch ein fruchtbarer?); höchstens handelte es sich um eine kleine Pause in der Geschichte (oder unsrer unselig-ewigen Zwanghaftigkeit?). Slowenien gehörte für mich seit je zu dem großen Jugoslawien, das südlich der Karawanken begann und weit unten, zum Beispiel am Ohridsee bei den byzantinischen Kirchen und islamischen Moscheen vor Albanien oder in den makedonischen Ebenen vor Griechenland, endete. Und gerade die offensichtliche slowenische Eigenständigkeit, wie auch der anderen südslawischen Länder – Eigenständigkeit, die, so schien es, nie eine Eigenstaatlichkeit bräuchte –, trug in meinen Augen zu der selbstverständlichen großen Einheit bei. Diese bestand nicht nur geographisch, etwa im Karstkalk, der sich von dem Berg Trstelj nördlich von Triest hinab über die gesamte dinarische Platte zog, sondern auch, besonders, gerade, als historische. Zwei Daten in diesem Jahrhundert waren es, welche, glaubte ich, die so verschiedenen jugoslawischen Völker einigten und auf Dauer einighalten müßten: ihr eher ungezwungenes, für viele sogar enthusiastisches Zusammenfinden 1918, mit dem Ende des Habsburgerreichs, erstmals in einem eigenen Reich, wo die einzelnen Länder keine schattenhaften Kolonien mehr, die einzelnen Sprachen kein Sklavengemunkel mehr zu sein bräuchten; und im Zweiten Weltkrieg dann der gemeinschaftliche Kampf der Völker Jugoslawiens, auch der unterschiedlichen Parteien und der einander widersprechenden Weltanschauungen – ausgenommen fast nur die kroatischen Ustascha-Faschisten –, gegen das Großdeutschland.

(Immer wieder habe ich in den slowenischen Dörfern die kleinen Gruppen der alten Männer als Zeugen einer ganz andern als unsrer, der deutschen und österreichischen Geschichte, eben der des großen widerständischen Jugoslawien gesehen und dieses, ich kann's nicht anders sagen, um seine Geschichte beneidet.)

In den vergangenen Jahren jedoch, so oft ich nach Slowenien kam, wurde dort, zuletzt mehr und mehr, eine neue Geschichte verbreitet. Neu? Es war die altväterische, aber mit der Zeit neu gewendete Sage von »Mitteleuropa«. Und diese, anders als die der schweigsamen Veteranen, hatte statt der sporadischen Erzähler gruppenweise Sprecher, mehr und weniger lautstarke. Oder so: Auch hier, zur Geschichte Mitteleuropa, hatte es zunächst die Erzähler gegeben, und deren Stelle nahmen inzwischen fast ausschließlich die Sprecher ein; oder: Die ursprünglichen Erzähler selber, manchmal meine Freunde, hatten, zur Unkenntlichkeit verändert, die Rolle von Sprechern eingenommen. Und dieses historisierende Sprechertum vor allem, verlautbart aus vielen Mündern, in Zeitungen, Monatsschriften, bei Symposien, war es wohl, das dem Gast Sloweniens die Landesdinge jedesmal stärker entrückte in die erwähnte Unwirklichkeit, Ungreifbarkeit, Ungegenwärtigkeit.

Nicht, daß etwa Slowenien für mich vorher, politisch gesehen, »der Osten« gewesen wäre. Und es lag mir auch nie, mochte das zwar der Himmelsrichtung nach stimmen, im Süden; es war, anders als Italien, kein Südland (aber auch in Kroatien, in Serbien, in Montenegro fühlte ich mich keinmal »im Süden«). Und ebenso nicht, obwohl unsere österreichischen Grenzwacht-Zeitungen das ihren Lesern, zumindest vor dem Umschwung der letzten Jahre, gleichsam auf Dauer weiszumachen versuchten, begann in Jesenice, in Dravograd oder in Murska Sobota bereits »der Balkan«. Aber welch erwachsener Leser verbindet heutzutage überhaupt noch etwas Wirkliches mit solch einem Wort? Nirgends in Bosnien und der Herzegowina, auch nicht im Kosovo, zu Fuß unterwegs, in Bussen und Zügen, kam mir jemals dieses blödsinnige Schlägerwort in den Sinn, geschweige denn über die Lippen; ginge es um dergleichen Parolen, müßte man zum Beispiel die serbischen Intellektuellen aus Beograd geradezu als die Zwillinge ihrer Kollegen in Paris oder New York bezeichnen, so telepathisch sind sie mit diesen verbunden in der jeweiligen Theorie des Tages, ob es nun jene der »Schnelligkeit« oder der »Chaos-Forschung« ist, und wenn ich meinem werten Genossen und Übersetzer Žarko Radaković – Novi Sad / Beograd / Tübingen / Köln / Seattle – beiläufig erzähle, ich sei zu Fuß den Oberlauf der Soča (des Isonzo) entlanggegangen, wird er mir im Handumdrehen seine neue groß- und kleinserbische Theorie »Vom Wandern an Flüssen« auftischen und dazu auch schon eine internationale Anthologie – Beiträger George Steiner, Jean Baudrillard, Reinhold Messner – vorbereiten. Wie traurig, und auch empörend, wenn jemand wie Milan Kundera noch heute, vor ein paar Wochen, in einem von *Le Monde* veröffentlichten Aufruf zur »Rettung Sloweniens« dieses, zusammen mit Kroatien, vom serbischen »Balkan« abgrenzt und es blind jenem gespenstischen »Zentraleuropa« zuschlägt, dessen kaiserliche Herren doch einst auch sein slawisches Tschechisch, aus dem Jan Skácel von Brno später dann die zartesten Gedichtpsalmen des zwanzigsten Jahrhunderts schöpfte, als barbarisches Kauderwelsch abtun wollten!

Nein, Slowenien in Jugoslawien, und *mit* Jugoslawien, du warst deinem Gast nicht Osten, nicht Süden, geschweige denn balkanesisch, bedeutetest vielmehr etwas Drittes, oder »Neuntes«, Unbenennbares, dafür aber

Märchenwirkliches, durch dein mit jedem Schritt – Slowenien, meine Geh-Heimat – greifbares Eigendasein, so wunderbar wirklich auch, wie ich es ja mit den Augen erlebte, gerade im Verband des dich umgebenden und zugleich durchdringenden – dir entsprechenden! – Geschichtsgebildes, des großen Jugoslawien.

Und nun wich das urslowenische Märchen vom Neunten Land Jahr für Jahr mehr zurück vor dem Gespenstergerede von einem Mitteleuropa. Solch Gespenst geisterte zwar auch jenseits der nächsten Grenzen, zog da freilich – von den edlen Hintergedanken der Alt-Wiener, -Steirer und -Kärntner einmal zu schweigen – eher gleichsam an einem »Heimdreh«-Strang: so wie die österreichische Redensart von den Selbstmördern besagte, sie drehten sich, mit dem Strick, »heim«, so schienen auch diese und jene italienischen Friulaner oder Triestiner, mit ihren Festfeiern jährlich zum hundertsoundsovielten Geburtstag des Kaisers Franz Joseph, ihre wirklichen Lebensräume »heimzudrehen« (oder war das vielleicht bloß ein ironischer Ersatz für etwas in Wahrheit längst Ausgeträumtes?). Im Lande Slowenien jedoch griff das Gespenst ein in die Wirklichkeit. Und die mit ihm durch die Landschaft zogen, das waren keine Altvordern oder Weinwinkelexistenzen, sondern was man üblich »helle Köpfe«, »die Nachdenklichen«, »die Stillen« nennt; Wissenschaftler, Poeten, Maler.

Einmal im Jahr trafen sich zum Beispiel, etwa von der Mitte des letzten Jahrzehnts an, solche auf der slowenischen Karsthochfläche in Lipica, zuerst vor allem um der Kunst und des schönen Drumherumredens (und Herumsitzens) willen. Doch von Jahr zu Jahr mehr verflüchtigte sich das ursprüngliche Einander-Vorlesen usw. zu einem raschen, hundertköpfigen Defilée, in dem es unmöglich wurde, ein Ohr zu haben für auch nur ein einziges Gedicht, und die Mitte der Veranstaltung nahm ein das dazu passende Gespenst, in dessen Bann, im Scheinwerferlicht, vor Mikrophonen, simultan gedolmetscht für die ungarischen, polnischen, sorbischen (immer seltener serbischen), dann auch schon litauischen, niedersächsischen, Frankfurter, Pariser, Mailänder Tagungsteilnehmer, meine slowenischen Vorjahresfreunde die Sonorität von Rundfunksprechern, das Brauenzucken von Fernsehkommentatoren, das hintersinnige Mienenspiel von Politikern nach großen Entscheidungen annahmen (erst abends beim Wein erkannte ich sie als die einzelnen wieder – und immer häufiger nicht einmal dort).

Das begann einige Jahre nach dem Tod Titos, und es kommt mir jetzt vor, eine große Zahl, jedenfalls die Mehrheit, innerhalb der nördlichen Völker Jugoslawiens, habe sich den Zerfall ihres Staates von außen einreden lassen.

Noch im nachhinein bleibt es frecher Unsinn, wenn der mit Informationen prunkende, dabei großmäulig-ahnungslose *Spiegel* in seiner Titelstory Jugoslawien ein »Völkergefängnis«! heißt, und wenn die Finstermännerriege der deutschen *Frankfurter Allgemeinen* einen ihrer erfahrungslosen Maulhelden von der Kärntner Grenze reportieren läßt, die deutschen Österreicher dort hätten mit ihrer slowenischen Minderheit immer in gutem Einvernehmen gelebt – eine schlimmere Travestierung des im Land der Drau seit sieben Jahrzehnten geschehenen und immer weitergehenden Sprach- wie

Identitätsraubzugs gegen das eingesessene Slowenenvolk, mit Großdeutschland als dem Meisterbanditen, könnte höchstens noch das entsprechende Weltblatt vom Planeten Mars erfinden.

Nein, eine persönliche Erfahrung war das Auseinanderfallen des sogenannten »Tito-Reichs« offensichtlich für keinen einzigen Slowenen – jedenfalls ist mir, so wie ich auch nachforschte, keinmal einer begegnet; was ich hörte, empfand ich als Nachgeplapper. Längst war der Kommunismus fast nur noch Legende. Die Praxis in Slowenien, sowohl in der Kultur wie auch, vor allem, in der Wirtschaft, war liberal. Nur mit Zorn und Widerwillen konnte ich aufnehmen, wie jüngst die westlichen Medien einen Typen als Helden hinstellten, der in Ljubljana herumsaß mit einem Schild »Das Leben gebe ich her, nicht aber die Freiheit«. Die Slowenen waren frei wie ich und du, innerhalb der Gesetze, die schon lange nicht mehr ausgelegt wurden als die eines autoritären Staates (mit Ausnahmen, wie auch »bei uns«); gewerbefrei, wohnsitzfrei, schrift- und redefrei. Und das Unrecht der serbischen Führung, das faktische Entziehen der Autonomie des vor allem albanischen Kosovo, war da noch lang nicht geschehen.

Ein slowenischer Bekannter sagte mir dazu gerade, was das serbische Parlament vor eineinhalb Jahren mit der Region von Pristina angerichtet habe, sei »der Anfang« gewesen, und daher, um dem weiteren zuvorzukommen, die Gründung des Staates Slowenien. Aber genügt schon, von einer (1) Völkerrechtswidrigkeit zu sagen: »Das war nur der Anfang«, um selbst eine Vertragsverletzung – und so sehe ich das eigenmächtige Abstimmen und Befinden über einen Austritt aus einem doch von den jugoslawischen Völkern gemeinsam beschlossenen Bundesstaat – zu begehen? Und die, entsprechend der Bevölkerungszahl, serbische Übermacht in dem Staatsapparat Jugoslawien hat die kleine slowenische Teilrepublik zwar vielleicht hier und da schikaniert oder übervorteilt oder niedergeredet, aber doch, jedenfalls nicht daß ich wüßte, keinmal in der Geschichte nach dem Zweiten Weltkrieg gegen sie einen solchen Völkerrechtsbruch gesetzt, der es Slowenien erlaubte, von sich aus, wie es geschah, den historischen Staatsvertrag für nichtig geworden zu erklären. Ein andrer slowenischer Bekannter gab dazu sogar an, es sei im Land unerträglich geworden, daß in der jugoslawischen Armee nur Serbisch und nicht auch Slowenisch »Befehlssprache« sein könne.

Nein, das zunehmende Wegdriften so vieler Slowenen von ihrem großen Jugoslawien, »hin zu Mitteleuropa«, oder »zu Europa«, oder »zum Westen«, nahm ich lange als bloße Laune. So hörte ich immer öfter, und jedesmal seltsamer berührt, von Bekannten, aber auch von Wildfremden, auf den Straßen und Brücken von Ljubljana oder Maribor, wo die Flüsse wie je auf die Donau in Beograd zuströmten, Slowenen und Kroaten sollten an den Südgrenzen eine »Mauer« gegen die Serben, die »Bosniaken« usw. errichten, höher noch als die in Berlin – es gab diese da noch –, »zwei Stockwerke hoch!« Und wenn ich nach den Gründen fragte, beschlich es mich dumm-bekannt bei: »Die unten arbeiten nicht – die im Süden sind faul – nehmen uns im Norden die Wohnungen weg – wir arbeiten, und sie essen.« Ein weniges davon mag verständlich sein, vielleicht, nicht aber in dieser Form; denn kein Besinnungswort fiel von der so viel günstigeren Transport- und Handelslage, dem fruchtbareren Boden. Ganz gewiß freilich gab es ein zunehmendes Ungleichmaß im Tragen der Staatslasten, zwischen Nord und Süd, wie auch wohl anderswo. Nur: wie konnte das als Anlaß gelten, sich launenhaft, eilfertig und trotzig-dünkelhaft loszusagen von dem immer noch weiträumigen Himmel über einem trotz allem wohlbegründeten Jugoslawien? Anlaß, oder gar bloße Ausrede?

Denn nichts, gar nichts, drängte bis dahin in der Geschichte des slowenischen Lands zu einem Staat-Werden. Nie, niemals hatte das slowenische Volk so etwas wie einen Staatentraum. Und der slowenische Staat, jedenfalls bis zur Gewalt der Armeepanzer und -bomber, hatte, aus sich selbst, nicht das Licht einer Idee (Jugoslawien hatte es). Und kann jetzt aus der Gewalt und dem Widerstand allein eine solche Idee wachsen, lebenskräftig auf Dauer? Ich frage: Ist es möglich, nein, notwendig, für ein Land und ein Volk, heutzutage, unvermittelt, sich zum Staatsgebilde zu erklären (samt Maschinerie Wappen, Fahnen, Feiertag, Grenzschranken), wenn es dazu nicht *aus eigenem* gekommen ist, sondern ausschließlich als Reaktion *gegen* etwas, und dazu etwas von *außen,* und dazu noch etwas zwar manchmal Ärgerliches oder Lästiges, nicht aber tatsächlich Bedrängendes oder gar Himmelschreiendes? (Das letztere, ob erfahren oder erlitten durch die Herrschaft erst von Österreichern, dann Deutschen, war es ja, was dem Staat Jugoslawien sein Pathos und seine Legitimität gab, und auch jetzt weiterhin geben sollte.)

Slovenski narod, narod trplenja – »slowenisches Volk, Volk des Leidens« –, so hieß es mit Recht bis zum Ende des Zweiten Weltkriegs. Dergleichen jedoch durfte danach kein Slowene im Verband Jugoslawiens von seinem Volk mehr denken. Ist das die Neumoderne: Staatengründung aus bloßem Egoismus, oder eben aus purer und wenn auch noch so verständlicher schlechter Laune gegenüber dem Bruderland? (Nein, nicht »Cousins«, wie man gesagt hat, sondern in der Tat »Brüder«.) Hat das slowenische Volk sich das Staat-Spielen nicht bloß *ein*reden lassen – welch kindliches Volk, welch kindischer Staat –, wozu es dann auch keine Begründungen geben kann, nur *Aus*reden, selbst den, in diesem Fall besonders blödsinnigen Slogan »Small is beautiful«? Weist nicht auch darauf hin, daß auf das Ernstmachen des Spiels, die Staatsausrufung, die Bevölkerung weit eher mit Mulmigkeit reagierte als mit Begeisterung?

Diese dagegen, und ich habe das auf meinen Wegen immer wieder gesehen, herrschte und dauerte, wenigstens ein paar Jahre nach Titos Tod, für den Staat Jugoslawien. Und es war keine Ideologie mehr, die das bewirkte, kein Titoismus, kein Partisanen- oder Veteranentum. Es war besonders der Enthusiasmus der Jungen, aus den verschiedenen Völkern; am stärksten sichtbar, wo sie, in gleichwelchem Land, miteinander zusammentrafen. Und jene Gemeinsamkeit erschien dem Festgast nirgends als ein zwanghaftes Reihenschließen, Zusammenrücken von Verschwörern oder als Ball in einem Waisenhaus: sie wirkte natürlich, »selbstredend«, offen nach allen Himmelsrichtungen; wenn jene Zusammenkünfte etwas von Schlußfeiern hatten, dann allein, indem sie einen darauffolgenden Aufbruch bezeichneten, eines jeden in dem Reigen auf seine eigene Weise. Damals geschah es, daß ich diese slowenischen, serbischen, kroatischen, makedonischen, herzegowinischen Studenten, Arbeiter, Sportler, Tänzer, Sänger, Liebhaber – ein jeder dünkte mich als das alles in einem – um ihre Jugend herzlich beneidete, und damals war es auch, daß Jugoslawien mir das wirklichste Land in Europa bedeutete. Episode. Aber es ist mir unvorstellbar, daß diese für die seinerzeit im Zeichen einer Gemeinsamkeit Aufgebrochenen, auch wenn sie im Augenblick einzeln, für sich, hinter die jeweiligen Grenzhecken postiert sind, inzwischen so mir nichts, dir nichts unwirklich, ungültig, nichtig geworden ist.

Ja, die neuen Grenzen in Jugoslawien: Ich sehe sie, statt nach außen, viel mehr, bei jedem der jetzigen Einzelstaaten, nach innen wachsen, hinein ins jeweilige Landesinnere; wachsen als Unwirklichkeitsstreifen oder -gürtel; hineinwachsen zur Mitte, bis es bald kein Land, weder slowenisch, noch kroatisch, mehr gibt, ähnlich wie im Fall Monte Carlo oder Andorra. Ja, ich fürchte, eines Tages in der »Republik Slowenien« kein Land mehr schmecken zu können, wie in Andorra, wo die kreuz und quer in die Pyrenäenfelsen gesprengten Geschäftsstraßen noch das letzte Stück Weite – dicht auf dicht eingegrenzt von gleichsam aus Manhattan als Verlängerung der Park- oder der Fifth Avenue in das Gebirge betoninjizierten Waren- und Bankmeilen –, und schon seit langem jeden Geschmack von Land, Gegend, Raum, Ort und Wirklichkeit erstickt haben; statt des Anhauchs der Kultur der Schwefel und Schwafel einer längst entseelten Folklore.

Freilich wird hier und dort gesagt, der Staat Slowenien sei nur ein Stadium auf dem Weg zu einem ganz anderen, erneuerten Jugoslawien. Aber wer sind die in dem Land, eine Tatsache, welche unter dem Namen »Unabhängigkeit« oder »Freiheit« umläuft, wieder rückgängig zu machen? Tatsache, unverrückbar erscheinend durch die zwei zusätzlichen Bleigewichte, einmal der Panzer und Bomben auf der einen Seite – nie werden die wohl aus den Sinnen der Slowenen, vor allem der Kinder von 1991, gehen –, und als zweites dann das Verhalten der slowenischen Grenzschützer, von denen unselig viele, anders, ja, als ihre plötzlich gegen sie kriegspielenmüssenden Altersgenossen (oder waren diese nicht eher um einiges jünger?), so sehe ich das, im Handumdrehen bereit zum Töten waren: nicht bloß die so unterschiedlichen Zahlen der Umgekommenen auf den beiden Seiten sagen das, sondern auch die Bilder, etwa das der mit einer weißen Fahne aus einem umzingelten Grenzerhaus tretenden Bundessoldaten, von Unsichtbaren auf der Stelle umgeschossen, oder vom Strahlen eines Heimwehrmanns, wie er, laut dem mit ihm mitstrahlenden österreichischen Tagblatt, von seinem »ersten Toten, einem 18jährigen Makedonier«, erzählt – auch das, das blindwütige Killen, samt gebleckten Killermienen, wie soll es dem, der es mit Augen gesehen hat, je aus dem Sinn gehen? Hat jenes Jugoslawien, welches doch mit dem Zweiten Weltkrieg dem entkommen zu sein schien, was man »Fluch der Geschichte« nennt, nun seinen speziellen Fluch?

Ein Schimmer Hoffnung, zugleich zum Lachen – so als gehörten Hoffnung und Lachhaftigkeit in diesem Fall

zusammen –, kam mir vor kurzem beim Gehen in Paris mit einem slowenischen Wegkumpanen, wie er da, obwohl traurig einverstanden mit der Umwälzung in seinem Land, die ihm aus der Armeezeit bekannte serbische Befehlssprache ins Slowenische zu übertragen versuchte. Es gelang ihm nicht. Was im ersten Idiom sofort geläufig und selbstverständlich aus ihm schallte, trompetete, knarrte, zischte, peitschte, schnellte, verlor in seinem angeborenen jeden Rhythmus, sträubte sich gegen das Laut-Werden, bog sich, gleichsam instinktiv, wie bei Kafka die Kinder, die »unter dem Wind« laufen, weg von der Aufgereckheit, kam mit jeder Silbe aus dem Marschtritt, wich aus vor dem Marschblasen, bauschte und buchtete sich zur Melodie, bis der Sprecher seine slowenischen Befehlsversuche schließlich belustigt-schicksalsergeben abbrach.
Es war dasselbe grauhaarige Kind Sloweniens, das, vor zwei Wochen noch, im heimatlichen Vipava-Tal, an der Hand seine 10jährige Nichte, Ohrenzeuge des Bombengetöses auf den heiligen Berg Nanos, mir dann erzählte: »In der ganzen bisherigen slowenischen Geschichte war stets nur die Mutter da. Unser Vater hat immer geschlafen. Innen im Berg, du weißt schon. Ist höchstens kurz aufgetaucht, wie ein Traumwandler, gestern hier, morgen dort, du weißt schon, König des Neunten Lands, und gleich wieder verschwunden. Jetzt ist der Vater aufgewacht.« Und der Erzähler hob an zu kichern, und kicherte weiter, während seines gesamten Heimwegs auf der *Avenue du Général Leclerc*, weniger und weniger slowenisches Kind, mehr und mehr dort landesüblicher Kobold: »Aber ob das je seiner Kinder Wunsch war?«

Noch einmal für Jugoslawien

Ein mögliches kleines Epos: das von den unterschiedlichen Kopfbedeckungen der vorbeigehenden Menschheit in den großen Städten, wie zum Beispiel in Skopje in Mazedonien/Jugoslawien am 10. Dezember 1987. Es gab sogar, mitten in der Metropole, jene »Passe-Montagne« oder Gebirgsüberquer-Mützen, über die Nase unten und die Stirn oben gehend und nur die Augen freilassend, und dazwischen die Radkarrenfahrer mit schwarzen kleinen Moslemkappen, die fest auf den Schädeln saßen, während daneben am Straßenrand ein alter Mann Abschied nahm von seiner Tochter oder Enkelin aus Titograd/Montenegro oder Vipava/Slowenien, vielfache Spitzgiebel in seiner Haube, ein islamisches Fenster- und Kapitellornament (die Tochter oder Enkelin weinte). Es schneite im südlichsten Jugoslawien und taute zugleich. Und dann passierte einer mit weißem gestickten, von orientalischen Mustern durchschossenen Käppi unter dem vertropfenden Schnee, gefolgt von einem blonden Mädchen mit dicker heller Schimütze (Quaste obenauf), und gleich darauf einem Bebrillten mit Baskenmütze, dunkelblauer Stengel obenauf, gefolgt von dem Beret eines Großschrittsoldaten und den paarweisen Polizisten-Schirmmützen und deren gemuldeter Oberfläche. Einer ging dann vorbei mit Fellkappe, daran aufgebogene Ohrenklappen, inmitten der Scharen der Schwarzkopftuchfrauen. Danach einer mit scheckigem Fez, über die Ohren geschlungen, im Elsternschwarzweiß, Halbbruder Parzivals, der gescheckte Feirefiz. Sein Begleiter trug eine Leder- und Pelzkappe, und nach ihnen kam ein Kind mit schwarzweißem Ohrschutzband. Dem folgte einer mit Salz-und-Pfeffer-Mütze als »Schieber«, sehr flott unterwegs auf der mazedonischen Bazarstraße im Schneematsch. Die Soldatentruppe dann mit dem Tito-Stern vorn am Mützenbug. Darauf einer mit braunlode-nem Tirolerhut, vorne herabhängende Krempe, die hintere Krempe hoch aufgebogen, silbriges Abzeichen an der Seite. Kleines Mädchen vorbeihüpfend mit heller Wildlederkapuze, gefütterter. Einer mit weißgrauem Schäferhut, umschlungen von rotem Band. Eine dicke Frau mit leinenweißem Köchin-Kopftuch, das hinten ausgefranst war. Ein Junger mit vielschichtiger Leder-mütze, von Schicht zu Schicht eine andere Farbe. Einer schob einen Karren und hatte eine Plastikkappe über den Ohren, das Kinn umwickelt mit einem Palästinen-sertuch. Einer ging dann mit Rosenmusterkappe, und allmählich erschienen auch die barhäuptigen Passanten mit Kopfbedeckungen ausgestattet, die Haare selber als Bedeckungen. Kind, getragen, mit Zipfelmütze, ge-kreuzt von Frau mit schiefem, breit ausladendem Film-hut: der Vielfältigkeit war nicht mehr nachzukommen. Eine Brillenschönheit ging vorbei mit lila Borsalinohut und schlenderte um die Ecke, gefolgt von einer sehr kleinen Frau mit selbstgestrickter Zopfmütze, welche hoch aufragte, gefolgt von einem Säugling mit Som-brero auf der noch offenen Schädelfontanelle, getragen von einem Mädchen mit überkopfgroßer Baskenmütze *made in Hongkong*. Ein Junge mit Schal um Hals und Ohren. Ein Bursche mit Schifahrer-Ohrenschützern, Aufschrift TRICOT. Undsoweiter.

Einige Anmerkungen
zur Arbeit von Jan Voss

Und schon eine erste Korrektur: es handelt sich nicht um Anmerkungen, sondern um Umrisse. Beim Schreiben über Malerei hat man vielleicht zu sehr gesündigt, indem die Sprache versucht war, zu beschreiben, was nicht beschreibbar ist. Die Gefahr besteht darin, daß das Schreiben sich der Bilder bemächtigt, anstatt sie frei zu lassen. So sind auch fast immer die Maler selber, wenn sie von ihrer Arbeit reden, viel zugänglicher als ich, der dritte. Sie deuten oft, in der Form eines Fragments, den Weg des Bildes an, verschütten ihn nicht mit ihren Worten, sie umreißen ihn. Und das, so scheint mir, stimmt überein mit ihrer Kunst; die Malerei ist mir vor allem die Kunst des Umrisses. Es gibt in der Kunst keine Meister, aber vielleicht doch: die Meister des Umreißens. Jan Voss sehe ich als solch einen Meister.

Die Bilder Jans sind ein jedes gleichsam das Bild des Tages. Bild: die geographische Karte des Malers von dem einzelnen Tag. Tagesbild, mit vielen Pfaden, Zwischenräumen, Dingen, Tieren, Menschengestalten – Zeichen geworden im Lauf jener Durchquerung des Tages. Sonne, Haus, Bäche, Frau. Die Nacht scheint im Tagwerk des Jan Voss abwesend.

Obwohl der Maler ein Bewohner der Metropole und der Vorstadt ist, scheint die besondere Geographie seiner Malerei angesiedelt auf dem Land, eher die Objekte

Jan Voss, Ohne Titel, 1991
Malerei auf Leinwand

der Natur umzirkelnd als die Phänomene der großen Städte. Oder aber zeichnet sie, ein jedes Mal, jeden Tag, eine neue Karte der ganzen Welt, eine Art von tagtäglichem Globus, zweidimensional auf der Leinwand des Malers? Doch es ist mir auch schon mitten in Paris passiert, etwa bei einem Kopfwenden, beim Streifen mit dem Blick am Umriß und am Grün eines Gebüsches hinter der durchscheinenden Scheibe einer Garage, mich, den Passanten, wiederzufinden in einer Weltkarte, welche mich an die »Tagwerke« Jans erinnerte.

Ja, Jan Voss und der Blick des Passanten hinter sich, über die Schultern: die Zwischenräume leuchten dann auf, die Blätter eines Baums verwandeln sich und werden Farbe, Form, Zahl. Die Arbeit des Malers schafft Lichtungen. Seine Kunst besteht darin, die Dinge freizusetzen, indem sie diese umgibt mit Lichtungen.

Und derart können die Bilder Jans mir erscheinen als die tägliche Chronik eines Spiels. (Zweite Korrektur: »Arbeit« des Malers? Eher »Spiel«.) Ein konzentriertes Spiel, ohne Abwesenheiten, wobei das Sich-gehen-Lassen Teil der Konzentration ist. Das Sich-gehen-Lassen ist sogar die Essenz jener Konzentration. Ohne es erlebte ich nicht die wunderbare Öffnung in all den Bildern, ein unaufhörliches Sich-Auftun bei einem jeden neuen Blick und in alle Richtungen. Ohne das Sich-gehen-Lassen, in jedem Augenblick des Tagewerks kontrolliert, fände ich, Betrachter, mich statt vor einer Weltkarte, die mir auf der Stelle Lust zum Ausbruch macht, in einem ausweglosen Labyrinth.

Die Bilder des Jan Voss und das Rechen eines laubbe-
deckten Gartens: Streich um Streich (der Hand des
Malers) zeigen sich, in lichten Fragmenten, unter dieser
unscheinbaren, trüben, farblosen Schicht die Einzelheiten eines vergessenen Gartens, zum Vorschein gebracht
durch die Künstlerarbeit: alle Farben und alle Formen,
frisch wie am Beginn der Tage. Das Metier Jans: nicht
»machen«, sondern freisetzen; öffnen, zum Erscheinen
bringen, was verborgen war, verdeckt; reinigen und in
die Schwebe bringen eine vernachlässigte Fläche. Ein
Freund hat ein Gemälde Jans in sein Büro gehängt,
genau oberhalb eines Risses in der Mauer, damit dieser
Riß verwandelt würde durch eine farbige Linie des
Malers. Und jener Mann geriet nun bei seiner Rückkehr
aus dem Urlaub in Zorn: ohne sein Wissen hatte man die
Mauer übermalt, und den Riß, welcher inzwischen Teil
der Weltkarte Jans geworden war, gab es nicht mehr.
Mein Freund sah das als einen Vandalenakt, obwohl das
Bild selber unversehrt geblieben war.

Der Maler Anselm Kiefer ist zufrieden, endlich Bild-
werke zu schaffen, die man sich nicht mehr in Privat-
häusern vorstellen kann, nur noch in den Museen, an
den öffentlichen Orten. Mit Jan scheint mir das Gegenteil der Fall: seine Malerei, jedenfalls für mich, ist eine
Haus-Malerei, eng verbunden mit der Tatsache »Haus«.
Seine Bilder geben meinem Haus einen Schwung. Sie
geben ihm einen Schwung, so wie man einer Schaukel
einen Schwung gibt. Ohne diesen fehlte meinem Haus
etwas, etwas Essentielles – und zugleich ist dieser
Schwung, oder Anstoß, so leicht, so fein, so graziös. Jan
hat für mich sogar eine Schwelle gemacht, mit einer

Sonne, einem Buch, Wegen, und die abgefallenen Blätter wehen jetzt über diese Formen und Farben und machen den Wind ums Haus sichtbar; wenn es regnet, verwandelt das Email der Schwelle die Wassertropfen.

Die Bilder Jans, sein Spiel, als eine Art, die Dinge zu werfen, zu werfen jedoch mit einer zarten Ironie, nicht zu Boden, vielmehr in die Luft, sehr hoch. Und die auf diese Weise emporgeworfenen Sachen, anstatt zu fallen, bleiben hoch in der Luft, in der Schwebe. Ist es das Gras? Ist es ein Papierdrachen (über der Porte de la Villette)? Ist es ein Schneeball? Es ist ein Umriß; so wie der arme Dante, verloren mitten auf seinem Weg, den ihm entgegenkommenden Vergil als »Umriß« sah.

Die Bilder des Jan Voss als der Widerschein der Tage, Tag für Tag, und allein der friedlichen Tage? Letzte Korrektur: eines Nachts ging ich in meinem Haus vor einem seiner Gemälde vorbei und erblickte da in der Dunkelheit eine Replik auf jene Schlacht, wie sie einst Uccello gemalt hat, erbarmungslose Schlacht, finster, ohne Horizont und ohne gleichwelchen Zwischenraum zwischen den Umrissen, die darauf aus waren, einander umzubringen, ohne Unterlaß, bis zum Morgengrauen.

Nachweise

Eine Erzählung aus vierzehn und einem Guß. Zuerst erschienen in *Pan*, Heft 3/1991.

Über Lieblingswörter. Zuerst erschienen in *Die Zeit* Nr. 1 vom 27. Dezember 1991.

Langsam im Schatten: der Dichter Philippe Jaccottet. Laudatio auf den Petrarca-Preisträger des Jahres 1988. Zuerst erschienen in *Akzente*, 4/1988.

Nicolas Born, ratloser Liebhaber. Rede anläßlich der Veranstaltung zum 50. Geburtstag von Nicolas Born in der Akademie der Künste Berlin, 1987.

Kleine Chronik des Märchen eines Lebens. Zuerst erschienen als Nachwort des von Peter Handke herausgegebenen Bandes Nicolas Born, *Gedichte*, Frankfurt am Main 1990.

Franz Grillparzer und der Clochard von Javel. Rede anläßlich der Entgegennahme des Franz-Grillparzer-Preises 1991.

Einige Bemerkungen zu Stifter. Zuerst erschienen in *Le Monde* vom 12. April 1991; der vom Autor auf französisch geschriebene Text wurde von ihm selbst ins Deutsche übersetzt.

Zeit für eure Toten! Eine Skizze zu den Büchern Gerhard Meiers. Zuerst erschienen in der *Neuen Zürcher Zeitung* vom 25. Januar 1991.

Brief an Iasushi Inoue. Zuerst erschienen in der *Frankfurter Rundschau* vom 4. Oktober 1990.

Eine andere Rede über Österreich. Zuerst erschienen in *profil* Nr. 13 vom 25. März 1985.

Gegenstimme. Zuerst erschienen in *profil* Nr. 22 vom 26. Mai 1986.

Kleine Rede über die Stadt Salzburg. Rede zur Entgegennahme des Salzburger Literaturpreises 1986.

Schuldeneintreibung. Rede zur Entgegennahme des Großen Österreichischen Staatspreises für Literatur 1988.

Vom Übersetzen: Bilder, Bruchstücke, ein paar Namen. Laudatio auf den Petrarca-Übersetzerpreisträger 1990 Fabjan Hafner.

Zu Walker Percy, Der Kinogeher. Nachwort zu dem von Peter Handke aus dem Amerikanischen übersetzten Roman, Frankfurt am Main 1980.

Zu Emmanuel Bove, Meine Freunde. Nachwort zu dem von Peter Handke aus dem Französischen übersetzten Roman, Frankfurt am Main 1981.

Zu Florjan Lipuš, Der Zögling Tjaž. Nachwort zu dem von Peter Handke zusammen mit Helga Mračnikar aus dem Slowenischen übersetzten Roman, Salzburg 1981.

Zu Emmanuel Bove, Armand. Begleittext zu dem von Peter Handke aus dem Französischen übersetzten Roman, Frankfurt am Main 1982.

Zu Georges-Arthur Goldschmidt, Der Spiegeltag. Begleittext zu dem von Peter Handke aus dem Französischen übersetzten Roman, Frankfurt am Main 1982.

Zu Gustav Januš, Gedichte 1962–1983. Vorbemerkung zu den von Peter Handke aus dem Slowenischen übersetzten Gedichten, Frankfurt am Main 1983.

Zu Emmanuel Bove, Bécon-les-Bruyères. Nachwort zu der von Peter Handke aus dem Französischen übersetzten Erzählung, Frankfurt am Main 1984.

Zu Aischylos, Prometheus, gefesselt. Nachwort zu der von Peter Handke aus dem Altgriechischen übertragenen Tragödie, Frankfurt am Main 1986.

Zu Francis Ponge, Kleine Suite des Vivarais. Nachwort zu der von Peter Handke aus dem Französischen übersetzten Erzählung, Salzburg 1988.

Zu Franz Michael Felder, Aus meinem Leben. Vorbemerkung zu dem Roman von Franz Michael Felder, Salzburg 1985.

Zu den Erzählungen von Johannes Moy. Vorwort zu Johannes Moy, Das Kugelspiel, Frankfurt am Main 1988.

Zu Georges-Arthur Goldschmidt, Die Absonderung. Vorwort zu dem Roman von Georges-Arthur Goldschmidt, Zürich 1991.

Fragment zur Heiligen Schrift. Geschrieben in Französisch für die Zeitschrift Egoist, Paris, im November 1991 und von Peter Handke ins Deutsche übertragen.

Einwenden und Hochhalten. Rede auf Gustav Januš. Laudatio von

Peter Handke anläßlich der Verleihung des Petrarca-Preises 1984 an Gustav Januš. Zuerst erschienen in *Die Zeit* Nr. 27 vom 29. Juni 1984.

Das plötzliche Nichtmehrwissen des Dichters. Laudatio Peter Handkes anläßlich der Verleihung des Petrarca-Preises 1989 an Jan Skácel. Zuerst erschienen in *Die Zeit* Nr. 25 vom 16. Juni 1989.

Zu Jung und Alt von Hermann Lenz. Zuerst erschienen in *Die Zeit* Nr. 51 vom 15. 12. 1989.

Wir-Erzähler und Ich-Erzähler: Zu John Berger. Laudatio von Peter Handke anläßlich der Verleihung des Petrarca-Preises 1991 an John Berger. Zuerst erschienen in *Die Zeit* Nr. 47 vom 15. 11. 1991.

Kleiner Versuch über den Dritten. Vorwort zu Alfred Kolleritsch, *Gedichte,* Frankfurt am Main 1988.

Des Privatdetektivs eigener Fall. Über Peter Stephan Jungk und seinen Roman Tigor. Zuerst erschienen in *Die Zeit* Nr. 7 vom 7. Februar 1992.

Abschied des Träumers vom Neunten Land, Frankfurt am Main 1991. Eine gekürzte Fassung erschien zuerst in *Süddeutsche Zeitung* vom 27./28. Juli 1991.

Noch einmal für Jugoslawien. Zuerst erschienen in *taz* vom 14. 8. 1992.

Einige Anmerkungen zur Arbeit von Jan Voss. Text zum Katalog einer Ausstellung von Jan Voss in Düsseldorf, 1991.